Niveau intermédiaire

B1

Vocabulaire
en dialogues

Évelyne Siréjols

CLE
INTERNATIONAL

www.cle-inter.com

Crédits photos

Direction éditoriale : Béatrice Rego
Édition : Odile Tanoh-Benon, Virginie Poitrasson
Couverture : Dagmar Stahringer
Maquette intérieure : Griselda Agnesi
Mise en page : Pierre Florette - Domino
Illustrations : Jean-Marie Renard
Traduction du lexique : A.D.T. International
Enregistrement : Quali'sons

AVANT-PROPOS

Le *Vocabulaire en dialogues niveau Intermédiaire* a été réactualisé pour mieux refléter la réalité quotidienne. Il s'adresse à des étudiants, adolescents et adultes, approfondissant leur apprentissage du français. Il complète le niveau débutant et peut être utilisé en complément des méthodes de niveau intermédiaire, en classe, mais aussi en autonomie. Il permet d'étudier dans une approche fonctionnelle le lexique de la vie quotidienne à travers 26 thèmes courants et variés comme les échanges téléphoniques, le milieu professionnel, les voyages, les transports, la géographie, l'écologie, la personnalité…

Chaque chapitre présente la même structure :

■ *une double page de dialogues* réalistes et attrayants, qui mettent en situation à travers des faits de la vie quotidienne des personnages variés par leur âge, leur catégorie socioprofessionnelle et par leurs préoccupations. Le contenu grammatical de ces dialogues est adapté au niveau des apprenants ; ils peuvent ainsi se concentrer uniquement sur les nouveautés lexicales. Ces dialogues sont enregistrés sur un **CD** encarté dans le manuel et ils sont illustrés **de photos ou de dessins** qui facilitent la compréhension de la situation de communication. Pour travailler la compréhension orale, des activités guidées sont proposées pour chaque dialogue ;

■ *une page et demie d'explications* pour découvrir et approfondir le vocabulaire et les actes de paroles du chapitre. Ces explications sont rédigées dans une langue simple, elles se présentent aussi sous forme **d'illustrations, de tableaux**, d'oppositions et à travers de courts échanges liés au thème central ;

■ *une page et demie d'exercices* pour s'entraîner à l'emploi de ce lexique nouveau. Ces exercices sont présentés dans un ordre de difficulté progressive, mais toujours accessibles à des apprenants de niveau intermédiaire. Variés, ils permettent de pratiquer le travail du lexique mais aussi des phrases indispensables à la communication quotidienne. Une **activité de production orale guidée** est proposée à la fin de chaque chapitre.

Six bilans de deux pages permettent de vérifier et d'évaluer les acquisitions lexicales des chapitres qui les précèdent.

À la fin du manuel, un *lexique* offre à l'apprenant la possibilité de vérifier le sens d'un mot. Il permet de retrouver un contexte pour chacun des termes indexés. Les *corrigés* de tous les exercices, des chapitres comme ceux des bilans, se trouvent également à la fin du manuel.

Dans un livret à part se trouve un lexique avec les traductions vers l'anglais et l'espagnol.

SOMMAIRE

1. LE CORPS ET LES MOUVEMENTS

■ *SÉANCE DE GYMNASTIQUE*

 piste **1**

(Dans une salle de gymnastique.)

Le professeur : Allez, on reprend les exercices. La tête est bien droite, les bras le long du corps, écartez les pieds, pliez les genoux dix fois. 1… 2… 3… Très bien. Attention Véronique, vos jambes sont trop raides ; pliez plus les genoux et levez la tête. Continuez ! 6… 7… 8… 9… 10. Maintenant, on va travailler les hanches et le ventre : gardez les jambes écartées et mettez vos mains sur les hanches, comme ça. La tête reste droite, vous devez tourner la poitrine et les épaules, dix fois à droite, puis à gauche. Allez le plus loin possible en arrière. Regardez bien ! 1… 2… 3… 4…

Véronique : Moi, ça me fait mal au dos, c'est normal ?

Le professeur : Alors arrêtez et détendez-vous deux minutes ; mettez-vous à genoux, le dos rond, voilà. Les autres, continuez ! 7… 8… 9… 10. Bien, maintenant, allongez-vous sur le dos et pliez les jambes sur le ventre. Écartez les bras au sol et balancez vos jambes lentement, sur la droite, puis sur la gauche. Faites ça dix fois. Je vous regarde ! 1… 2… 3… 4… Non Laurence, il faut faire ce mouvement plus lentement et votre dos doit rester contre le sol. 6… 7… Voilà, c'est mieux ! 9… 10.

(Trente minutes après.)

Le professeur : Et on se relève ! Très bien, mesdames. C'est fini pour aujourd'hui. Vous avez bien travaillé. À jeudi !

(Dans le vestiaire.)

Véronique : Moi, j'ai vraiment mal au dos, je dois m'asseoir. Je me demande si cette prof est vraiment bien…

Sa copine : Écoute, on voulait se muscler avant les vacances donc on continue. Mais en septembre, on pourrait aller au cours de yoga. Ce serait sûrement plus tranquille !

🔊 Écoutez et trouvez la bonne réponse.

1. Quand on a mal au dos, il faut…

☐ se mettre debout bien droit les jambes écartées.

☐ se mettre à genoux, le dos rond.

☐ s'allonger sur le dos et balancer les jambes à droite et à gauche.

2. Pourquoi ces deux femmes font-elles de la gymnastique ?

☐ Pour être en forme   ☐ Pour se muscler avant les vacances   ☐ Pour maigrir

3. En septembre, vont-elles continuer ce cours de gymnastique ? (Justifiez votre réponse.)

■ *LE PETIT PLAISIR*

 piste 2

(Au bureau, à la pause café.)

Anne : Je ne comprends pas comment fait ton amie Marie-Hélène pour rester si mince ! Elle a des jambes et des bras fins, le ventre plat, pas un gramme de graisse. Elle a de la chance ! Regarde, cette année, j'ai pris du ventre et des fesses.

Sylvie : Tu sais, elle fait beaucoup d'exercice : de la course, du vélo, du kayak. C'est pour ça qu'elle ne grossit pas. Elle n'a que du muscle. Toi, tu ne bouges pas, tu vas au travail en voiture et le dimanche, tu ne fais plus de sport… Tu pourrais faire un quart d'heure de gymnastique chez toi, le matin. Ça fait du bien, tu sais !

Anne : Oui, c'est vrai mais quand même, elle ne doit pas manger beaucoup, ta copine !

Sylvie : Oh ! mais elle ne fait pas de régime.

Anne : Alors je ne comprends pas : moi, je fais attention à tout ce que je mange, je ne mets pas de sucre dans mon café et je ne prends jamais de dessert…

Sylvie : Oui, mais tu manges beaucoup de fromage ; et puis tu as toujours une tablette de chocolat ouverte sur ton bureau.

Anne : Ça, c'est vrai, mais c'est mon petit plaisir…

◀€ Écoutez et répondez aux questions.

1. Qui fait quoi ? Complétez avec : *mange du chocolat, fait un régime alimentaire, fait de l'exercice, mange beaucoup de fromage, va au travail en voiture, ne mange pas de dessert.*

Marie-Hélène	Anne

2. Indiquez les parties du corps où Anne a grossi :

_____

3. Quels conseils Sylvie donne-t-elle à Anne pour mincir ?

_____

4. Quel est le petit plaisir d'Anne ?

_____

▶ *Le corps*

la tête
une main
la poitrine
le ventre
un bras
les hanches *(f)*
une cuisse
une jambe
un pied
un orteil

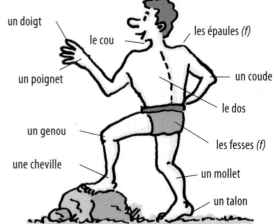

un doigt
le cou
les épaules *(f)*
un poignet
un coude
le dos
un genou
les fesses *(f)*
une cheville
un mollet
un talon

▶ *Les positions* (f)

Il/elle est **debout**.   Il/elle est **assis/-e**.

Il/elle est **couché/-e** (= **allongé/-e**).

Il/elle est **à genoux**.

▶ *Les mouvements* (m)

bouger (les mains)   marcher   courir   **sauter**

rentrer ≠ sortir   (re)monter ≠ (re)descendre

se lever ≠ **s'asseoir** ≠ se coucher (sur le dos, sur le ventre)

(s')arrêter ≠ continuer, recommencer (= faire une autre fois)
rester sans bouger (= **immobile**)

se mettre à genoux — **se baisser** — **plier** un bras

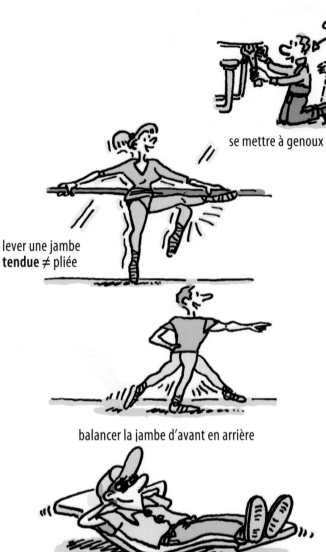

lever une jambe
tendue ≠ pliée

balancer la jambe d'avant en arrière

se détendre (= se relaxer)

écarter ≠ rapprocher les mains
baisser ≠ lever la tête
tourner la tête à droite/à gauche

▸ *Les changements du corps*

grossir (= devenir plus gros/-se, plus gras/se)
≠ maigrir (= devenir plus mince/maigre)
grandir (= devenir plus grand/-e)

se muscler (= prendre des muscles [m])

▸ *Pour aller plus loin*

être en forme = aller bien

---

1. Dans les dialogues, relevez et classez tous les verbes indiquant une action du corps
et les noms indiquant des parties du corps.

1. Verbes	2. Parties du corps
écartez	*la tête*

2. Devinettes : trouvez les parties du corps.

🖊 Exemple : *C'est entre le bras et le corps :* ▸ *les épaules.*

1. C'est entre la jambe et la cuisse : _____
2. C'est entre le bras et la main : _____
3. C'est entre le pied et la jambe : _____
4. C'est entre la tête et les épaules : _____
5. C'est en bas du dos : _____
6. C'est de chaque côté du ventre et du dos : _____
7. C'est au-dessus du ventre : _____

3. **Associez par une croix les actions possibles avec les parties du corps.**

Les mains	a. Pliez	b. Levez	c. Baissez	d. Rentrez	e. Écartez	f. Tournez à gauche	g. Rapprochez
1. Le ventre				X			
2. La tête							
3. Les genoux							
4. Les bras							
5. Les épaules							
6. Les chevilles							
7. Les mains							

4. **Assemblez les contraires.**

1. *se coucher*   a. plier
2. maigrir   b. remonter
3. debout   c. s'arrêter
4. plié   d. écarter
5. lever   e. grossir
6. couché   f. assis
7. tendre   g. se lever
8. s'asseoir   h. baisser
9. descendre   i. *se relever*
10. marcher   j. raide
11. rapprocher   k. debout

5. **Complétez ces phrases avec les mots suivants à la forme correcte.**

*être en forme – monter – courir – se balancer – continuer – **se détendre** – marcher – s'asseoir*

✎ *Exemple : Après le travail, le soir, **je me détends** et j'écoute de la musique.*

1. Quand les repas de famille sont trop longs, les enfants vont _____ dans le jardin ; il y a une balançoire.
2. Ma grand-mère a mal aux jambes et elle ne _____ plus beaucoup.
3. Le dimanche matin, pour faire un peu de sport, je _____ 30 minutes avec une amie.
4. Est-ce que je peux _____ ? Je suis un peu fatigué.
5. Maintenant, tu fais de la gymnastique et tu dois _____ ; je trouve que tu _____ !
6. J'habite au 6ᵉ étage et tous les jours, je _____ les escaliers à pied.

6. **Activités. Indiquez à votre voisin(e) quelques exercices de gymnastique pour rester en forme.**

– Votre ami(e) a beaucoup changé : avant, il/elle était rond(e). Il/elle a fait du sport et un régime et il/elle a perdu 6 kilos. Comment est-il/elle aujourd'hui ?

2. LA SANTÉ

■ *L'OPÉRATION DU GENOU*

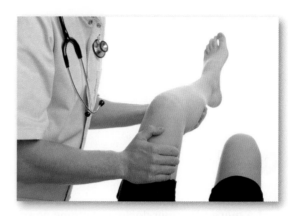

 piste 3

Odile : Tiens, bonjour Michèle, comment ça va ?

Michèle : Pas très bien : ma mère est tombée et elle doit se faire opérer du genou.

Odile : Elle a vu un spécialiste ? Il n'y a pas d'autre solution ?

Michèle : Non, elle est allée à l'hôpital Saint-Louis, ce sont les meilleurs spécialistes. Elle a passé des radios, on lui a donné des soins et un traitement. Mais depuis, ça ne va pas mieux, elle souffre et peut à peine marcher. Elle a pris rendez-vous avec un chirurgien, il l'opère jeudi prochain.

Odile : C'est une grosse opération ?

Michèle : Non, mais après, elle ne pourra pas rentrer chez elle pendant un mois. Elle va aller dans une maison de convalescence et elle va faire de la rééducation ; ça ne lui plaît pas du tout…

Odile : Oui, je connais ta mère, elle qui court toujours ! Bon, appelle-moi si je peux t'aider. Elle va à l'hôpital Saint-Louis, je passerai la voir !

Michèle : Non, elle sera à la clinique des Lilas. Le chirurgien préfère l'opérer là, c'est plus moderne. Mais va la voir, ça lui fera plaisir !

Odile : D'accord, appelle-moi pour me donner de ses nouvelles. Et bon courage à toi !

🔊 Écoutez et répondez aux questions.

1. Qui doit se faire opérer ?

   ☐ Michèle   ☐ La mère de Michèle   ☐ La mère de l'autre femme

2. Pourquoi elle a mal ?

   ☐ Elle est très âgée.   ☐ Elle est tombée.   ☐ Elle a eu un accident de voiture.

3. Remettez les étapes dans l'ordre :

   _____ Elle a passé des radios.

   _____ Elle va être opérée à la clinique des Lilas.

   _____ Elle va aller dans une maison de convalescence.

   _____ Elle est allée voir un spécialiste à l'hôpital Saint-Louis.

   _____ Elle a pris rendez-vous avec un chirurgien.

   _____ Elle a suivi des soins et un traitement.

■ AU CABINET MÉDICAL

🔊 piste **4**

> **La mère :** Bonjour docteur, Antoine ne se sent pas bien : il a mal à la tête depuis deux jours, il tousse, il a le nez qui coule et je pense qu'il a un peu de fièvre.
>
> **Le médecin :** Bon, voyons mon garçon, déshabille-toi. Tu as quel âge ?
>
> **Antoine :** 9 ans.
>
> **Le médecin :** Et tu as mal à la tête à quel moment ?
>
> **Antoine :** Euh, tout le temps… non, quand je cours et quand je monte les escaliers, et quand je lis… et j'ai aussi mal à la gorge.
>
> **Le médecin :** Bon ! tire la langue… Maintenant je regarde ton nez, tes oreilles… Ça va ?
>
> **Antoine :** Oui.
>
> **La mère :** Est-ce que c'est grave, docteur ?
>
> **Le médecin :** Mais non, il est un peu fatigué, c'est la fin du trimestre. Et puis, il a une bonne angine. C'est pour ça qu'il a de la fièvre. Tu peux te rhabiller, Antoine… Alors, vous allez lui donner des gouttes dans le nez trois fois par jour, ces comprimés à prendre matin et soir pendant cinq jours et des pastilles à sucer, pas plus de quatre par jour. Voici l'ordonnance.
>
> **La mère :** Il pourra aller à l'école demain ?
>
> **Le médecin :** Non, deux jours à la maison plus le week-end. Lundi, il devrait être en pleine forme. Mais il faut qu'il se repose, ce jeune homme.
>
> **La mère :** Je vous dois combien ?
>
> **Le médecin :** 25 euros. Merci madame. Au revoir.
>
> **La mère :** Au revoir docteur, et merci.
>
> **Le médecin :** Au revoir Antoine et reste tranquille, hein ?

🔊 Écoutez et trouvez la bonne réponse..

1. Cochez les phrases vraies.

☐ Antoine tousse.   ☐ Il a mal au ventre.   ☐ Il a mal à la gorge.   ☐ Il a mal aux jambes.

☐ Il a mal à la tête.   ☐ Il a le nez qui coule.   ☐ Il a un peu de fièvre.

2. Cochez les médicaments prescrits par le médecin.

☐ Deux cuillerées de sirop.   ☐ Des gouttes dans le nez.   ☐ Des pastilles à sucer.

☐ Des comprimés à prendre

3. Cochez la bonne réponse.

– Antoine peut retourner à l'école…   ☐ demain.   ☐ dans deux jours.   ☐ lundi prochain.

– Combien coûte la consultation ?   ☐ 20€.   ☐ 25 €.   ☐ 35€.

▶VOIR AUSSI *Vocabulaire en dialogues Débutants* : 6 L'apparence physique

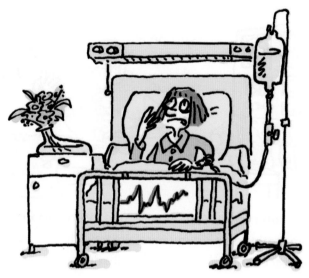

se sentir bien, aller bien,
être **en** (pleine) **forme**, être en bonne santé

≠   se sentir mal, être fatigué, ne pas aller bien,
ne pas être en forme, être **malade**

avoir mal (à la tête, aux pieds),
avoir des **maux** de ventre,
souffrir des dents

avoir mal au cœur = avoir envie de **vomir**, de rendre (ce qu'on a mangé)
avoir mal à l'estomac (quand on a trop mangé, on **digère** mal)
avoir de la **fièvre**/de la **température** (plus de 38 °C), être fiévreux
le/la malade = le/la **patient/-e**
aller voir un médecin, **consulter** un docteur
prendre (un) rendez-vous pour une **consultation** chez le médecin, dans un cabinet médical
aller à l'hôpital *(m)* (public), à la clinique (privée)
un examen médical : le médecin **examine** le/la malade
Dans un **laboratoire d'analyses médicales**, on fait des analyses de sang, des examens médicaux.
Dans un centre de **radiologie** *(f)*, on passe une radio (une radiographie, aux rayons X).
donner/délivrer une **ordonnance**
acheter des **médicaments** *(m)* à la pharmacie
prendre des médicaments :

une **pastille**
(à sucer)

des **gouttes** (pour le nez, les
yeux, les oreilles)

une **gélule** (avec de la poudre, à avaler
avec de l'eau)

un *comprimé* (dur/compact)
ou une **pilule** (plus petite),
à avaler (avec de l'eau)

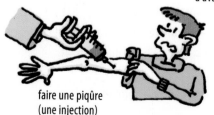

faire une piqûre
(une injection)

faire un pansement

(se) passer de la/une **pommade**, (se) masser

Le médecin **soigne** (ses patients).

Le malade se soigne (suit un **traitement**) et il **guérit** (il va mieux).

se faire opérer

se faire opérer, **subir** une opération, subir une **intervention chirurgicale**

faire de la **rééducation, se rééduquer** (refaire travailler des parties du corps malades ou accidentées)

être **en convalescence** (f), se reposer, prendre du repos

▸ *Les professionnels de la santé*

un (médecin) **généraliste** (pour tout le corps) ≠ un (médecin) **spécialiste**

■ Quelques spécialistes

le/la dentiste (pour les dents)

l'ophtalmologue/ophtalmologiste/oculiste *(m/f)* (pour les yeux) [*familier* : l'ophtalmo]

le/la dermatologue (pour la peau) [*familier* : le/la dermato], le/la cardiologue (pour le cœur)

le/la gynécologue (pour les femmes) [*familier* : le/la gynéco], le/la pédiatre (pour les enfants)

le/la radiologue, le chirurgien (qui opère), le/la psychiatre (qui soigne les maladies mentales)

■ D'autres professionnels de la santé

l'assistant/-e médical(e)/dentaire

l'infirmier/l'infirmière

le/la kinésithérapeute (pour faire de la rééducation ou pour soigner certaines douleurs) [*familier* :

le/la kiné]

l'opticien/-ne (qui fait les lunettes)

le/la psychologue (qui soigne des problèmes de la personnalité)

---

1. **Relevez dans les deux dialogues les expressions en relation avec la santé.**

1. Le médecin	2. Le malade

2. **Dans chaque série, barrez l'intrus (l'expression qui ne va pas avec les autres).**

✎ *Exemple : un comprimé – une pastille – ~~des analyses~~ – des gouttes – une piqûre*

　1. un hôpital – une clinique – un cabinet médical – une radiographie – un laboratoire d'analyses

　2. l'infirmier – le docteur – la radiologue – l'assistante dentaire – la piqûre – l'oculiste

　3. suivre un traitement – se soigner – prendre des médicaments – ausculter – faire de la rééducation – se reposer

　4. prescrire un traitement – délivrer une ordonnance – guérir – rééduquer – ausculter – soigner

3. Complétez les phrases avec les expressions à la forme correcte.

*ordonnance – température – **rééducation** – pansement – pharmacie – hôpital – comprimé – infirmière*

✏️ *Exemple : Après m'être cassé la jambe, j'ai fait de la **rééducation** pendant deux mois.*

1. Hier à l' _____, nous avons vu une _____ très sympa qui m'a refait mon _____ .

2. Le médecin lui a donné une _____ pour qu'elle achète des médicaments ; elle avait beaucoup de _____ depuis deux jours.

3. Comme il avait mal à la tête, il est passé à la _____ acheter des _____ .

4. Reliez par une flèche les expressions de sens proche.

1. *avoir mal*	a. subir une intervention chirurgicale
2. voir un docteur	b. être en convalescence
3. faire de la rééducation	c. faire des examens médicaux
4. se faire opérer	d. suivre un traitement médical
5. faire des analyses	e. *souffrir*
6. se soigner	f. passer une radiographie
7. se reposer	g. consulter un médecin
8. faire une radio	h. se rééduquer

5. Qui le fait ? Indiquez « M » pour le médecin, ou « P » pour le patient.

✏️ *Il ausculte.* → M

1. Il soigne. → _____
2. Il suit un traitement. → _____
3. Il prend des médicaments. → _____
4. Il opère. → _____
5. Il fait une piqûre. → _____
6. Il prescrit un traitement. → _____
7. Il passe une radio. → _____
8. Il se soigne. → _____
9. Il subit une intervention. → _____
10. Il guérit. → _____
11. Il délivre une ordonnance. → _____

6. Complétez ces dialogues avec les expressions suivantes.

*fièvre – ausculter – **me sens** – mal – vomir – maux – médicament – souffrez – analyses – traitement*

1. – Docteur, je ne ***me sens*** pas bien : j'ai _____ au ventre, j'ai envie de _____ après les repas. J'ai aussi des _____ de tête et je crois que j'ai un peu de _____ .

2. – Allongez-vous, je vais vous _____ . Où _____ , ici ? là ?

3. – Oui, j'ai mal là.

4. – Bien, je vais vous donner un _____ . Mais il faut aller faire des _____ de sang. Vous allez prendre ce _____ trois fois par jour pendant trois jours et après, revenez me voir avec le résultat des analyses.

7. Activités. – **Vous n'êtes pas en forme, vous téléphonez à une amie qui vous demande ce qui ne va pas. Vous lui expliquez vos problèmes de santé. Elle vous donne un conseil.**

– **Vous êtes malade, vous allez consulter un médecin. Il vous prescrit un traitement. Vous lui posez des questions pour bien comprendre comment vous soigner.**

3. L'HYGIÈNE et LA BEAUTÉ

■ *LA SALLE DE BAINS*

 piste **5**

(Le matin, à la porte de la salle de bains.)

La mère : Adrienne, dépêche-toi de prendre ta douche, moi aussi, je voudrais me laver…

Adrienne : Mais maman, je me lave les cheveux et comme ils sont longs, il faut du temps pour les rincer ! J'ai encore du shampoing.

La mère : Tu n'as qu'à aller chez le coiffeur : demande-lui de te couper les cheveux courts.

Adrienne : Ah non, sûrement pas ! Ça y est, j'ai fini, tu peux entrer. Est-ce que je peux me coiffer pendant que tu prends ta douche ?

La mère : Oui, mais fais vite, tu vas être en retard au collège. Peigne-toi, sèche un peu tes cheveux et n'oublie pas de te brosser les dents.

Adrienne : Oui, je sais… Mais tu me prends encore pour un bébé !

La mère : Allez, va vite t'habiller et laisse-moi me maquiller. Regarde : il est déjà 7 heures et demie.

Le père : Martine, je peux entrer ? Je dois me raser et je suis en retard.

La mère : Bon ça va, je vais me maquiller dans la chambre. Mais tu sais, Jean, il va falloir déménager !

Le père : Mais pourquoi ? Il est très bien, notre appartement !

La mère : Non, maintenant qu'Adrienne est grande, il nous faut absolument deux salles de bains !

◀ **Écoutez et remplissez la grille avec les activités de chacun et répondez à la question :** *se raser, se maquiller, se rincer les cheveux, se coiffer, se brosser les dents, s'habiller, se sécher les cheveux, se doucher.*

Adrienne	
La mère	
Le père	

Pourquoi la mère veut-elle changer d'appartement ?

☐ Il est trop petit.   ☐ Il est trop cher.   ☐ Il n'y a qu'une seule salle de bains.

■ *AU SALON DE COIFFURE*

 piste **6**

> **La coiffeuse :** Qu'est-ce que je vous fais ?
>
> **La cliente :** Je voudrais changer de tête, je me trouve moche et mal coiffée ; qu'est-ce que vous me conseillez ?
>
> **La coiffeuse :** Je peux vous teindre en brune, vous friser les cheveux, ou encore vous couper les cheveux au carré et vous faire un joli brushing, ou bien je vous décolore en blonde…
>
> **La cliente :** Bon finalement, je crois que ça ira avec une petite coupe et un bon coup de peigne. Je préfère être naturelle. Mais votre manucure n'est pas là aujourd'hui ? Je voudrais qu'elle me fasse les ongles.
>
> **La coiffeuse :** Si bien sûr, elle arrive vers 10 heures 30, elle ne va pas tarder. Suivez-moi, on va vous faire le shampoing.

◀ Écoutez et cochez les bonnes propositions.

1. Quelles propositions de changement fait la coiffeuse à sa cliente ?

☐ Je vous teins en brune.
☐ Je vous décolore en blonde.
☐ Je vous fais une frange.
☐ Je vous coupe les cheveux très courts.
☐ Je vous frise les cheveux.
☐ Je vous défrise les cheveux.
☐ Je vous coupe les cheveux au carré.
☐ Je vous fais un chignon.

2. Finalement que décide la cliente ?

☐ Elle va se faire couper un peu les cheveux.
☐ Elle va se faire coiffer.
☐ Elle veut se faire faire les ongles des mains.
☐ Elle veut se faire faire les sourcils.

▸ *L'hygiène quotidienne*

prendre une douche ou un bain (dans la baignoire)
faire sa toilette = se laver = **se savonner** (avec du savon et un gant
   de toilette), **se rincer** (avec de l'eau), s'essuyer ou **se sécher**
   (avec une serviette de toilette ou un drap de bain).
On peut aussi enfiler un **peignoir** (= sorte de manteau pour se sécher).

du savon

⚠ **Attention : se** + verbe à l'infinitif + **le/la/l'/les** + partie du corps.
*Exemples : Je **me** lave **les** mains. Je **me** coupe **les** ongles.
           Tu **te** brosses **les** dents, **vous vous** lavez **les** cheveux.*
se brosser les dents (avec une brosse à dents et du dentifrice)
se nettoyer les oreilles
se laver les cheveux (= se faire un shamp(o)oing et se rincer)
puis se sécher les cheveux (avec un séchoir)
se coiffer = se brosser les cheveux (avec une brosse),
            se peigner (avec un peigne),
            se donner un coup de peigne
se laver les mains, se brosser les ongles (avec une brosse à ongles)
se mettre de la crème, se mettre du **déodorant**
(sous les bras, contre l'odeur de transpiration)
se parfumer, se mettre du parfum *(m)*

un gant

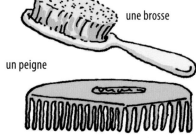
une brosse

un peigne

■ Pour les femmes

se maquiller :
se mettre du rouge à lèvres, du fond de teint
(pour avoir bonne mine),
se faire les yeux avec du fard à paupières (= de la couleur)
   et du mascara (pour les cils)
se mettre du vernis à ongles *(m)*

■ Pour les hommes

se raser (la barbe) avec un rasoir
se tailler/se couper la moustache avec des ciseaux *(m)*

se maquiller

se raser

du mascara

du vernis à ongle

un bâton de rouge à lèvres

du fard à paupières

▸ *Les soins dans un salon de beauté*

Les soins sont donnés par une **esthéticienne**.
se faire **épiler** (se faire enlever les poils *[m]*)
se faire faire un masque, un soin de beauté (sur le visage)
se faire faire un massage du corps, du visage
se faire faire les mains et les pieds (par une **manucure**)
   = se faire nettoyer les ongles puis se faire mettre un vernis
   de couleur ou incolore
se faire maquiller

se faire faire un masque

⚠️ **Attention :** L'expression « se faire + verbe à l'infinitif »
signifie qu'une personne le fait pour vous.
Exemples :
Tu te fais faire un masque (par l'esthéticienne).
Je me fais couper les cheveux (par la coiffeuse).
Si on se fait soi-même les soins à la maison, on dit :
s'épiler, se faire un masque, etc.
Exemples :
Tu te fais un masque.
Je me coupe les cheveux.

se faire un masque

un brushing

▶ Dans un salon de coiffure

se faire laver les cheveux, se faire faire un shamp(o)oing
se faire **teindre** (plus foncé) ou **décolorer**
    (plus clair) les cheveux
se faire **friser** les cheveux (par une permanente)
    ≠ se faire **défriser** les cheveux
se faire couper les cheveux
se faire faire un brushing, se faire coiffer

▶ Pour aller plus loin

vouloir changer de tête (quand on se trouve moche)
se faire/refaire une beauté = se (re)coiffer et se (re)maquiller
être (très) en beauté
être propre comme un sou neuf ≠ être sale comme un peigne (= se sentir crasseux/-euse)
se **décrasser** (= se nettoyer à fond)
être jolie comme un cœur [femme]/être beau comme un dieu [homme] être moche comme un poux
être rasé de près (= très bien rasé) ≠ avoir une barbe de trois/plusieurs jours
ressembler à/avoir l'air d'un pot de peinture = être trop maquillée

---

1. **Relevez dans les deux dialogues les expressions concernant :**

1. La toilette	2. La coiffure

2. **Mettez en relation les expressions de sens proche.**

1. *se faire manucurer*   a. se faire friser les cheveux

2. se faire épiler   b. demander un massage

3. se faire faire un soin de beauté   c. se faire éclaircir les cheveux

4. se refaire une beauté   d. se faire faire un massage et des soins du visage

5. se faire masser   e. se remaquiller et se recoiffer

6. se faire décolorer   f. se faire enlever les poils

7. se faire faire une permanente   g. se faire foncer les cheveux

8. se faire teindre   h. *se faire faire les mains et les pieds*

3. Dans chaque série, barrez l'intrus.

✎ *Exemple : un gant de toilette – une serviette – ~~un savon~~ – un peignoir – un drap de bain*

  1. raidir – coiffer – teindre – couper – manucurer – décolorer – laver – brosser – sécher

  2. se laver – se doucher – prendre un bain – s'essuyer – faire sa toilette – se rincer – se faire un shampoing

  3. se maquiller – se refaire une beauté – se faire les yeux – se faire les ongles – se faire faire une permanente – se coiffer

  4. une coiffeuse – une esthéticienne – un soin de beauté – une manucure – une shampouineuse

4. Complétez les phrases suivantes avec les expressions.

coupe – fond de teint – barbe – teinture – épilation – coiffure – massage

✎ *Exemple : Faites-moi une jolie **coupe**, mes cheveux sont affreux.*

  1. Tu as changé de _____ ; ça te va bien et tu parais plus jeune !

  2. J'ai des cheveux blancs, il faut que j'aille chez le coiffeur me faire faire une _____.

  3. Tu es pâle, tu as mauvaise mine ; tu devrais te mettre un peu de _____.

  4. J'ai horreur de ces hommes qui portent une _____ de trois jours, même si c'est la mode.

  5. Je me sens fatiguée, j'ai mal au dos, je crois qu'un _____ me fera du bien.

  6. Ma fille aurait besoin d'une _____ ; elle n'ose plus se mettre en jupe.

5. Classez les expressions suivantes en fonction de leur sens positif ou négatif.

  a. Marie-Hélène est très en beauté ce soir.

  b. Louis est rentré du stade sale comme un peigne.

  c. Ta fille est devenue jolie comme un cœur.

  d. Son nouveau copain est moche comme un poux et en plus, il n'a pas d'humour.

  e. Hier soir, Sabine avait vraiment l'air d'un pot de peinture.

  f. Après ce bain, et cette séance chez l'esthéticienne, je me sens propre comme un sou neuf.

  g. Ce soir, Nicolas, tu es beau comme un dieu !

1. Positif	2. Négatif
a. très en beauté	

6. Activités. – Votre amie n'a pas le moral. Vous lui conseillez d'aller chez le coiffeur et chez l'esthéticienne. Jouez le dialogue en essayant d'être convaincant(e).

– Vous allez chez le coiffeur : expliquez-lui ce que vous souhaitez. Il vous pose des questions, répondez-lui.

4. LA MODE et LES ACCESSOIRES

■ *LA BOUTIQUE BRANCHÉE*

 piste **7**

(Deux amies font les vitrines.)

Claire : Oh, Sophie, il faut absolument que je te montre une petite boutique où on trouve des accessoires hyper branchés ; il y a des chapeaux rigolos, des écharpes et des gants de toutes les couleurs, des ceintures originales et surtout, ils ont des bijoux magnifiques. Tu vas adorer !

Sophie : Allez, montre-moi ça !

(Quelques minutes plus tard. Elles entrent dans la boutique.)

Claire : Oh, regarde ces boucles d'oreilles, elles sont superbes, non ?

Sophie : Je les trouve un peu trop grosses. Par contre, j'aime beaucoup ce collier, il va bien avec mon chemisier. Qu'est-ce que tu en penses ?

Claire : Oui, très bien, ces perles vertes sont ravissantes. Il fait quel prix ?

Sophie : 120 euros, dis donc, ce n'est pas donné… Et cette ceinture avec des anneaux argentés. ça doit être magnifique sur un jean ou une robe toute simple.

Claire : Oui… Je cherche un cadeau pour ma mère, c'est bientôt sa fête. Tu crois qu'elle aimerait une ceinture comme ça ?

Sophie : Heu, c'est peut-être un peu voyant pour elle. Elle est plutôt classique, il me semble. Mais regarde ces écharpes, touche comme elles sont douces. Tu ne crois pas que ça lui plairait, une belle écharpe violette ?

Claire : Oui, c'est une bonne idée. Je vais lui offrir une écharpe, mais pas violette, plutôt bleu ciel ; c'est à la mode cet hiver et ça lui va très bien. Oh, et regarde ce béret, joli non ? Je l'essaie… Comment ça me va ?

Sophie : Très bien, tu devrais le prendre !

Claire : Hum, 65 euros plus 110 euros pour l'écharpe, ce n'est pas très raisonnable.

Sophie : Allez, fais-toi plaisir… comme dit ma mère, on n'a qu'une vie !

Claire : C'est vrai, tu as raison.

◀€ Écoutez et répondez aux questions suivantes.

1. La première femme veut montrer une boutique à Sophie; pourquoi ? Qu'est-ce qu'on peut y acheter ?

_____

2. Sophie aime les boucles d'oreilles que montre son amie ? Pourquoi ?

_____

3. De quelle couleur est le collier que Sophie aime bien ?

_____

4. Pourquoi elle ne le prend pas ?

_____

5. Ensuite, elle regarde quel accessoire ?

_____

6. Qu'est-ce que cherche l'amie de Sophie ? Pour qui ? Pourquoi ?

_____

7. Qu'est-ce que Sophie lui conseille ?

_____

8. Finalement la première femme achète quoi ? Combien ça coûte ?

_____

9. Que veut dire « on n'a qu'une vie » ?

☐ Il faut se faire plaisir.　　☐ Il faut faire attention à soi.　　☐ Il faut économiser.

■ AU RAYON MAROQUINERIE

🔊 piste **8**

(Dans un grand magasin.)

La cliente : Le rayon maroquinerie, s'il vous plaît ?

Une hôtesse : Au fond du magasin, à gauche, juste après le rayon bijouterie.

La cliente : Merci, mademoiselle.

(Quelques minutes plus tard.)

La vendeuse : Madame, je peux vous aider ?

La cliente : Oui, je cherche un sac assez grand mais pas trop, plutôt sport, en cuir naturel. Vous avez ce genre d'article ?

La vendeuse : Bien sûr, voilà ce modèle, on vient juste de le recevoir.

La cliente : Non, je voudrais un sac plus grand et qu'on puisse porter sur l'épaule.

La vendeuse : Ah, je vois. Voici ce très beau sac, décontracté et chic. Il existe en plusieurs coloris : marron, noir et cuir naturel. Regardez-le. C'est tout à fait votre style.

La cliente : Oui, il me plaît bien. Il coûte combien ?

La vendeuse : 180 euros. C'est une excellente qualité, et puis indémodable, vous le garderez des années.

La cliente : Bon, merci beaucoup. Je vais réfléchir.

La vendeuse : Je vous en prie. Au revoir madame.

🔊 Écoutez et répondez aux questions suivantes.

1. Que cherche la cliente ?

_____

2. Cochez les qualités de l'accessoire qu'elle cherche :

☐ en tissu　☐ marron　☐ petit　　　　☐ assez grand　　☐ en cuir naturel
☐ chic　　☐ sport　☐ à porter sur l'épaule　☐ à porter au bras　☐ noir

3. Quel est son prix ?

_____

4. Quelle phrase prononce la cliente pour dire qu'elle ne l'achète pas tout de suite ?

_____

▶ *La mode*

À la mode	Pas à la mode, démodé
être à la **mode**, suivre la mode s'habiller à la mode être **branché**, c'est « tendance »	ne pas être à la mode, ne pas suivre la mode être/s'habiller classique, sport être ringard avoir un style banal, vieillot, tradition

être bien habillé/-e, être élégant/-e, avoir de la classe
≠ être mal habillé/-e, négligé/-e, ne pas avoir de classe

▶ *Les accessoires*

On achète les **accessoires** *(m)* de mode dans des boutiques spécialisées ou dans les rayons des grands magasins.

■ Les articles en cuir

un portefeuille

des gants

une ceinture

un sac à main

On les achète dans une **maroquinerie** (ou dans le rayon maroquinerie d'un grand magasin).

■ Les bijoux fantaisie ou de valeur

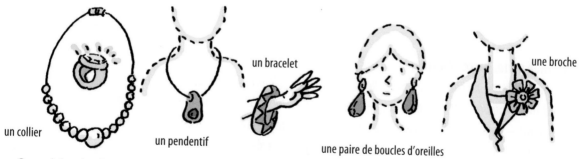

un bracelet

une broche

un collier

un pendentif

une paire de boucles d'oreilles

On achète les **bijoux** *(m)* de prix dans une **bijouterie**.
On achète les bijoux fantaisie dans les grands magasins ou les grandes surfaces, dans des boutiques spécialisées.

■ Les autres accessoires

un chapeau

un béret

un foulard

un châle (une très grande écharpe)

On les achète dans les grands magasins ou dans des boutiques d'accessoires.

▶ Les matières

– Pour les vêtements chauds : la laine, le cuir, le daim, la peau, le vinyle.
– Pour les vêtements légers/d'été : le coton, le lin, la soie.
– Pour les bijoux : l'or (blanc ou jaune), l'argent (blanc), le diamant, les pierres précieuses, les perles.

▶ Pour faire un commentaire sur un accessoire, un vêtement, on peut dire : **C'est...**

Positif	Négatif
joli, beau, magnifique, superbe, **ravissant** original **raffiné**, recherché, chic, discret Ça te/vous va très bien. C'est élégant, ça a de la classe. C'est très tendance.	affreux, horrible, moche, laid, vilain **ordinaire**, banal, quelconque vulgaire, voyant Ça ne te/vous va pas (du tout). Ça n'a aucune allure. C'est ringa

▶ Pour aller plus loin

être tiré/-e à quatre épingles (= être habillé/-e avec grand soin)
≠ être ficelé(-e)/habillé(-e) comme l'as de pique (être habillé/-e n'importe comment)
Ça te/vous va comme un gant = ça te/vous va parfaitement bien.

1. Relevez dans les dialogues les noms d'accessoires et les commentaires qui les accompagnent.

1. Accessoires	2. Commentaires

2. Dans chaque série, barrez l'intrus.

🖉 *Exemple : affreux – moche – ordinaire – banal – voyant – vulgaire – ~~ravissant~~ – horrible*

1. un collier – un bracelet – une écharpe – une bague – une broche – des boucles d'oreilles
2. des gants – un foulard – une ceinture – un chapeau – un pendentif – un châle
3. la laine – le lin – le cuir – la soie – le vinyle – l'argent – le daim – le coton – la peau
4. l'or – l'argent – les pierres précieuses – le diamant – le plastique – les perles
5. magnifique – original – élégant – superbe – quelconque – raffiné – recherché

3. Mettez en relation les expressions de sens contraire (parfois, plusieurs possibilités).

1. *Ça te va comme un gant.*
2. C'est très chic.
3. C'est très branché.
4. C'est original.
5. Ça a beaucoup de classe.
6. C'est très élégant.
7. Il est ficelé comme l'as de pique.

a. C'est ringard.
b. C'est vulgaire.
c. Il est tiré à quatre épingles.
d. Ça n'a aucune allure.
e. C'est banal.
f. *Ça ne te va pas du tout.*
g. tout à fait ordinaire.

4. **Complétez ces phrases avec les mots suivants.**

*cuir – laine – verre – coton – or – **soie** – lin – diamant – peau – perles*

✐ *Exemple : Je cherche un joli pyjama en **soie** pour ma belle-mère.*

1. Son fiancé lui a offert une belle bague en _____ avec un petit _____ .

2. Est-ce que je peux essayer cette robe de plage ? Elle est en _____ ou en _____ ?

3. Je cherche des gants en _____, couleur naturelle.

4. Il a acheté un sac en _____ noir pour sa femme.

5. Sophie voudrait un bonnet de _____ rouge, tu sais où je pourrais trouver ça ?

6. Pour l'anniversaire de ma mère, on a acheté un joli collier de _____ ; elle en voulait un depuis longtemps.

7. Dans une petite boutique de bijoux fantaisie, j'ai trouvé de jolies boucles d'oreilles en _____ de plusieurs couleurs. C'est très joli, tu verras !

5. **Donnez des conseils à un(e) ami(e)…**

✐ *Exemple : Elle essaie une robe en coton, très courte. On est en hiver.*

→ *Je crois que cette robe est un peu courte pour toi et puis maintenant, il fait froid.*
Tu devrais plutôt essayer cette robe en laine, elle a beaucoup d'allure.

1. Il cherche un cadeau pour sa jeune sœur ; il s'arrête devant de très grosses boucles d'oreilles très voyantes.

_____

_____

2. Elle veut offrir un grand sac en vinyle très branché pour sa belle-mère qui est plutôt classique.

_____

_____

3. Elle veut s'acheter un tailleur très classique pour commencer son nouveau travail d'hôtesse d'accueil dans une agence de publicité.

_____

_____

4. Elle cherche une écharpe en laine pour son copain mais l'été approche.

_____

_____

5. Il essaie une veste trop grande pour lui et qui fait vieillot.

_____

_____

6. **Activités. Vous n'aimez pas votre style (vêtements, accessoires, chaussures). Vous allez dans une agence de « relookage ». Une hôtesse vous conseille.**
Jouez le dialogue avec votre voisin(e).

■ BILAN 1

1. **Dites le contraire.**

✐ *Exemple : Pliez la jambe.* → *Tendez la jambe.*

1. Levez la tête. → _____
2. Rapprochez les mains. → _____
3. Tournez les épaules. → _____
4. Gardez le dos droit. → _____

5. Rentrez le ventre. → _____
6. Asseyez-vous. → _____
7. Restez immobile. → _____
8. Recouchez-vous. → _____

2. **Reformulez ces conseils.**

✐ *Exemple : Tu devrais porter des vêtements larges, tu paraîtrais plus mince.*

→ *Tu devrais porter des vêtements larges, ça te mincirait.*

1. Tu devrais porter des chaussures à talons pour paraître plus grande. → _____

_____

2. Vous devriez faire travailler votre corps. → _____
3. Vous devriez prendre quelques kilos. → _____
4. Tu devrais faire de la relaxation. → _____

3. **Quelle est sa profession ?**

✐ *Exemple : Elle rééduque les personnes qui ont des problèmes pour bouger :* → *la kinésithérapeute.*

1. Il soigne les yeux et prescrit des lunettes. → _____
2. Elle soigne les jeunes enfants. → _____
3. Il travaille dans un hôpital, il assiste les médecins. → _____
4. Elle soigne les problèmes dentaires. → _____
5. Il vend des médicaments. → _____

4. **Reformulez les expressions soulignées.**

✐ *Exemple : Je dois suivre un traitement pour guérir :* → **je dois me soigner.**

1. Le médecin voit un malade. → _____
2. J'ai mal aux dents. → _____
3. Mon père va être opéré du dos. → _____
4. Pierre fait de la rééducation pour ses jambes. → _____
5. Le docteur m'a donné cette liste de médicaments. → _____
6. Mon fils a mal au cœur. → _____

5. **Complétez ces phrases avec les mots suivants à la forme correcte.**

*traitement – radio – sirop – **comprimé** – pommade – analyse – piqûre – pansement*

1. Voilà votre ordonnance : prenez deux **comprimés** matin et soir pendant cinq jours. L'infirmier viendra chez vous le soir vous faire une _____ et refaire le _____ . Vous irez passer une _____ dans une quinzaine de jours et vous reviendrez me voir avec les clichés.

2. Pour la toux, prenez deux cuillers de _____ matin et soir.

   Passez-vous cette _____ sur la gorge avant de vous coucher et ne prenez pas froid.

3. Vos résultats d'_____ de sang ne sont pas bons. Il faut changer de _____ .

6. Reformulez les expressions soulignées.

✐ *Exemple :* <u>*Arrange tes cheveux*</u> *avant de sortir.* → ***Coiffe-toi*** *avant de sortir.*

1. Pouvez-vous <u>me changer la couleur de mes cheveux</u> ? → _____

2. Il faut que j'aille me faire <u>enlever les poils que j'ai sur les jambes</u>. → _____

3. Tu devrais <u>te remaquiller et te recoiffer</u> avant ton rendez-vous. → _____

4. <u>Utilise ton rasoir</u> le matin pour avoir une peau nette toute la journée. → _____

5. Après <u>m'être lavé les cheveux</u>, je me fais un brushing. → _____

7. Qu'est-ce que vous pouvez leur demander ?

✐ *Exemple : À la coiffeuse : vous devez sortir mais vous n'avez pas beaucoup de temps.*

→ ***Vous n'avez pas le temps de me laver la tête mais pouvez-vous me donner un coup de peigne ?***

1. À l'esthéticienne : vos ongles sont abîmés. → _____

2. À l'esthéticienne : la peau de votre visage n'est pas très jolie, un peu grise. → _____

3. À la coiffeuse : vos cheveux sont sans forme et vous avez envie de cheveux courts et bouclés.

→ _____

4. À une amie : vous devez aller à une soirée mais vous n'avez pas bonne mine. → _____

8. Dites le contraire.

✐ *Exemple : Cette bague est très recherchée, non ?*

→ *Cette bague est banale, quelconque, ordinaire, non ?*

1. Ce collier est trop <u>voyant</u>, tu n'es pas d'accord ? → _____

2. Ma mère <u>ne suit pas du tout la mode</u>, elle s'en moque complètement. → _____

3. Ma fille trouve ces chaussures <u>originales</u> mais je ne suis pas de son avis. → _____

4. Cette robe <u>te va comme un gant</u> ! → _____

5. Cet ensemble <u>a beaucoup de classe</u>, tu ne trouves pas ? → _____

9. Quels accessoires allez-vous mettre avec votre petite robe noire toute simple ? Précisez aussi, la matière, la taille et la couleur.

✐ *Exemple : Vous avez rendez-vous pour dîner chez des amis.*

→ ***Je mets un collier fantaisie et de grosses boucles d'oreilles en argent. Je porte aussi une ceinture de cuir de la même couleur que mes chaussures.***

1. Vous sortez dans une soirée assez chic. → _____

2. Vous allez à un mariage. → _____

3. Vous partez pour un week-end d'été chez vos amis au bord de la mer. → _____

4. Vous allez à une réunion professionnelle importante. → _____

5. LE CARACTÈRE

■ *RECHERCHE D'UN COLOCATAIRE*

 piste **9**

(Deux amies partagent un appartement.)

Anne : Qui va venir habiter avec nous ? On a vu François, Virginie, Marie, Olivier et Véronique. Maintenant, il faut choisir ! Comment tu trouves François ? Moi, je le trouve sympathique…

Céline : Oui, c'est vrai, il est gai et dynamique mais je trouve qu'il est trop nerveux. Je préfère Virginie : elle est gentille et très calme. C'est important pour vivre ensemble. Et puis, elle est courageuse : elle travaille beaucoup pour avoir son diplôme.

Anne : Hum, tu as raison. Mais je trouve Virginie trop timide, pas très naturelle et peut-être pas très franche.

Céline : Bon, et Marie ? c'est une fille ouverte, drôle, un peu extravagante…

Anne : Oh, beaucoup trop à l'aise. Elle est bavarde et égoïste, elle parle tout le temps d'elle. Elle ne me plaît pas du tout… Non, pas Marie. Et Olivier, qu'est-ce que tu penses de lui ?

Céline : Beau garçon, c'est vrai ; et intelligent ; mais pas assez sérieux : il ne va pas souvent à la fac et je crois que c'est un paresseux. Moi, j'aime bien aussi Véronique : elle est agréable, ouverte. Pour moi, c'est la colocataire idéale, réservée, modeste et patiente.

Anne : Véronique ? Oh non ! elle est un peu bête : elle n'a pas d'ordinateur parce que c'est trop compliqué… Il reste Paul : il a bon caractère, il est généreux, il a le sens de l'humour, c'est un garçon honnête…

Céline : Et c'est ton cousin ! Bon, moi aussi, je trouve Paul adorable. Tu l'appelles pour lui dire qu'il peut venir habiter avec nous ?

◀ **Écoutez et notez les impressions sur chaque candidat à la colocation.**

	Impressions (positives et négatives)
François	
Virginie	
Marie	
Olivier	
Véronique	
Paul	

Finalement, qui vont-ils choisir comme futur colocataire ?

▪ UNE CHARMANTE PETITE AMIE...

🔊 piste **10**

(*Au salon de thé.*)

Mme Ledoux : Alors vous connaissez Julien, mon petit-fils ?

Mme Petit : Oui, c'est mon nouveau voisin. C'est un garçon très tranquille, poli et cultivé.

Mme Ledoux : Et vous avez vu son amie Juliette ? Ils sont très amoureux. Elle est charmante, non ?

Mme Petit : Oui, une jolie fille mais… elle est un peu agressive, je trouve…

Mme Ledoux : Ah bon ? Pourquoi vous dites ça ?

Mme Petit : Quand on se voit dans l'escalier avec Momo, mon chien, elle fait toujours des commentaires désagréables sur « le chien-chien à sa mémère »…

Mme Ledoux : Ah bon ! je suis très surprise ! Elle est si gentille avec moi…

🔊 Écoutez et cochez les phrases vraies.

☐ Julien est le petit fils d'une des deux femmes.

☐ Il habite dans le même immeuble que sa grand-mère.

☐ Il est tranquille mais peu poli.

☐ La petite amie de Julien s'appelle Juliette.

☐ La grand-mère la trouve charmante.

☐ La voisine de Julien trouve la jeune fille très jolie.

☐ Cette jeune fille est désagréable avec la voisine.

☐ Elle n'est pas très gentille avec la grand-mère de Julien.

☐ Ces deux femmes ne partagent pas la même opinion sur Juliette.

Qualités *(f)* : il/elle est... *(f)*	Défauts *(m)* : il/elle est...
intelligent/-e, malin/-e (= comprend vite) → l'**intelligence** *(f)*	**bête**, stupide (= est lent à comprendre) → la **bêtise**, la stupidité
gentil/-ille, bon/bonne, **adorable** (= a des qualités de cœur, fait du bien) → la gentillesse, la bonté	**méchant**/-e, **agressif**/-ive (= dit des choses désagréables, fait du mal) → la **méchanceté**, l'agressivité *(f)*
sympathique, sympa *(familier)*, agréable ; avoir bon caractère (= est de bonne compagnie) → la **sympathie**	antipathique, désagréable ; avoir mauvais caractère (= ne donne pas envie d'être avec lui) → l'antipathie *(f)*
drôle, amusant/-e (= fait rire, a le sens de l'**humour**)	ennuyeux/-euse (= donne envie de dormir, raconte des choses sans intérêt) → l'**ennui** *(m)*
gai/-e, joyeux/-euse (= aime bien s'amuser) → la **gaieté**	triste (= malheureux, ne rit pas) → la **tristesse**
optimiste (= positif) → l'**optimisme** *(m)*	**pessimiste** (= négatif) → le **pessimisme**
dynamique, actif/-ive, rapide (= fait beaucoup de choses et vite) → le dynamisme, l'activité *(f)*, la rapidité	mou/molle, passif/-ive, lent/-e (= ne fait pas beaucoup de choses ou très lentement) → la **mollesse**, la passivité, la lenteur
calme, **tranquille** (= ne fait pas de grands gestes, pas de bruit) → le calme, la **tranquillité**	nerveux/-euse (= bouge tout le temps) **bavard**/-e (= parle tout le temps) → la **nervosité**
poli/-e (= a une bonne éducation) → la **politesse**	impoli/-e, grossier/-ière (= n'a pas de bonnes manières) → la **grossièreté**
franc/franche, **honnête** (= dit ce qu'il/elle pense) → la **franchise**, l'**honnêteté** *(f)*	menteur/-euse, hypocrite (= ne dit pas ce qu'il/elle pense) → le **mensonge**, l'**hypocrisie** *(f)*

intelligent   drôle   gai   dynamique   méchant

antipathique   ennuyeux   triste   mou   nerveux

généreux/-euse (= donne ce qu'il/elle a) → la **générosité**	**avare** (= garde tout pour lui/elle) → l'**avarice** (f)
ouvert/-e, **sociable** (= s'intéresse aux autres) → la **sociabilité**	fermé/-e, **égoïste** (= s'intéresse seulement à lui/elle) → l'**égoïsme** (m)
naturel/-elle, simple (= facile à comprendre) → le naturel, la **simplicité**	sophistiqué/-e, extravagant/-e (= a une allure compliquée) → l'**extravagance** (f)
timide, réservé/-e (= parle peu, ne veut pas se faire remarquer) → la timidité	exubérant/-e (= parle beaucoup et se fait remarquer) → l'**exubérance** (f)
doux/douce (= gentil/-le et calme) → la douceur	dur/-e (= méchant/-e, peu sensible, sans sentiments) → la **dureté**
courageux/-euse, travailleur/-euse (= aime le travail) → le courage	paresseux/-euse, **vantard**/-e (= ne travaille pas beaucoup) → la **paresse**
modeste (= n'aime pas parler de ses qualités) → la modestie	prétentieux/-euse (= dit plus que ce qu'il/elle fait vraiment) → la **prétention**
sérieux/-ieuse (= cherche à tout faire bien) → le sérieux	désinvolte (= pense que rien n'est important) → la **désinvolture**

généreux — sophistiqué — timide — dur — paresseux — prétentieux — désinvolte

---

1. Relevez dans les deux dialogues les qualités et les défauts que vous entendez.

1. Qualités	2. Défauts

2. Dans chaque série, barrez l'intrus.

✎ *Exemple : gentil – agréable – bon – généreux – poli – ~~désagréable~~ – doux*

1. travailleuse – courageuse – sérieuse – désinvolte – active – intelligente
2. modeste – timide – tranquille – exubérante – douce – réservée – simple
3. bête – lent – passif – triste – ennuyeux – fermé – drôle – vantard – dur
4. prétentieux – bavard – extraverti – calme – extravagant – exubérant

3. Retrouvez la qualité ou le défaut de chacun (parfois, plusieurs possibilités).

✐ *Exemple : Odile donne tout ce qu'elle a :* ▸ *elle est généreuse.*

1. Véronique ne comprend pas vite, et souvent mal, quand on lui explique quelque chose : _____

2. Jacques n'aime pas payer pour les autres et veut garder son argent : _____

3. Marion est toujours entourée, elle a beaucoup d'amis : _____

4. Antoine veut aider les gens autour de lui : _____

5. Thomas ne s'intéresse pas beaucoup à ce qu'il fait : _____

4. Reliez les contraires.

1. **modeste**	a. sophistiquée	8. intelligent	h. rapide
2. naturelle	b. menteur	9. lente	i. nerveux
3. gentille	c. agréable	10. drôle	j. ouvert
4. franc	d. paresseux	11. fermé	k. gaie
5. généreux	e. *prétentieuse*	12. triste	l. ennuyeux
6. désagréable	f. méchante	13. désinvolte	m. sérieuse
7. courageux	g. avare	14. tranquille	n. bête

5. Complétez les phrases par les mots de la liste.

*nerveux – sérieuse – égoïste – ennuyeux – hypocrite – bavarde – triste – gentille – **désagréable***

✐ *Exemple : On n'aime pas beaucoup Laurent, il n'a pas bon caractère et il ne dit pas toujours des choses gentilles ; il est **désagréable**.*

1. Mireille parle beaucoup trop, elle me fatigue, elle est beaucoup trop _____.

2. Vincent parle tout le temps de lui, les autres ne l'intéressent pas. C'est un _____.

3. Je trouve que ce professeur est _____ ; les étudiants dorment pendant ses cours !

4. Je crois que Stéphane est moins _____ qu'avant ; il dit plus franchement ce qu'il pense.

5. Cet enfant est trop _____, il ne peut pas rester tranquille plus de 5 minutes.

6. Hélène est vraiment une fille _____, c'est pour ça qu'elle a plein d'amis !

7. Lionel est vraiment très _____ ; il ne rit jamais.

8. Mathilde ne sort pas, elle passe son temps à travailler ; je trouve qu'elle est trop _____.

6. Voici le portrait moral de Xavier. Son amie Louise est exactement le contraire.

Lisez le portrait de Xavier puis faites le portrait de Louise.

– *Xavier est drôle et gai. C'est un garçon bavard et nerveux. Il est très actif et rapide.*

Mais il est menteur et il a quelquefois mauvais caractère. Il est un peu égoïste mais on l'aime bien.

– **Louise** est _____ et _____. C'est une fille _____ et _____, mais elle est très _____ et _____. Elle est _____ et elle a toujours _____ _____. Elle est très _____ et on l'aime bien.

7. Activités. – Faites le portrait de votre ami(e) idéal(e).

– **Vous aimez beaucoup une personne, votre amie(e) ne l'aime pas du tout. Présentez ses qualités et votre ami(e) vous parle de ses défauts.**

6. LES SENTIMENTS

■ *UN PETIT BONHEUR*

 piste 11

Romain Gary
La promesse de l'aube

(Dans un café.)

Marie : Qu'est-ce que c'est, ce livre ?

Lucie : Un roman magnifique : *La Promesse de l'aube*. Ce sont les souvenirs d'un aviateur pendant la guerre. Il adore sa mère et il est prêt à tout pour devenir un homme correspondant aux ambitions maternelles. Mais cet amour partagé, souvent excessif, est parfois mêlé de honte. Gary montre aussi sa haine de la bêtise et de la guerre. C'est à la fois drôle et émouvant, triste même.

Marie : Tu me donnes envie de le lire. C'est de qui ?

Lucie : Romain Gary.

Marie : Je ne connais pas.

Lucie : Il a eu une vie passionnante et ses livres sont très touchants. Lis-les, ils te plairont, j'en suis sûre. Et toi, qu'est-ce que tu deviens ?

Marie : Oh, je ne fais pas grand-chose. Le travail, les transports et quand je rentre chez moi, j'allume la télévision pour m'occuper. Tout m'ennuie en ce moment !

Lucie : Ça n'a pas l'air d'aller très fort… Et ton ami Laurent ?

Marie : On s'est séparés la semaine dernière… Je n'étais plus amoureuse ; en fait, on n'était pas heureux ensemble. Mais je ne regrette rien.

Lucie : Bon, je vais m'occuper de toi et te remonter le moral. Qu'est-ce que tu fais dimanche ?

Marie : Rien.

Lucie : Eh ! bien, viens faire une balade à vélo avec moi s'il fait beau. Un petit bonheur tout simple, ça ne se refuse pas !

◀ Écoutez et répondez aux questions suivantes.

1. Quels sont le titre et l'auteur du roman que la jeune femme lit ?

_____

2. Quand elle parle de ce livre, elle mentionne quels sentiments ?

_____

3. Comment va son amie ?

_____

4. Comment vit-elle ?

_____

5. Pourquoi n'est-elle pas heureuse ?

_____

6. Quel est le sentiment dominant dans sa vie actuelle ?

_____

7. Qu'est-ce que son amie lui propose pour l'aider ?

_____

■ *LA PANIQUE*

 piste **12**

Sarah : Les examens approchent et je panique, pas toi ? Pourtant, j'ai bien organisé mon programme de révisions.

Samuel : Non, pour une fois, je suis totalement confiant et j'aborde les examens avec sérénité…

Sarah : Mais comment tu fais ? Tu n'as pas peur de l'échec ? Tu es inconscient ou quoi ?

Samuel : Pas du tout mais je fais de la relaxation, ça m'aide beaucoup à surmonter le stress et l'angoisse. Tu devrais essayer !

Sarah : Eh bien, moi, je préfère me relaxer après les exams, surtout si les résultats sont bons !

(Un mois plus tard.)

Sarah : Alors, tu as eu les résultats ?

Samuel : Je suis furieux et très déçu : je dois passer le rattrapage en septembre. Et toi ?

Sarah : Je suis hyper contente, j'ai tout réussi. Je suis désolée pour toi. Passe quand même de bonnes vacances !

◀ Écoutez et répondez aux questions suivantes.

1. Indiquez la situation où se trouvent ces deux personnes.

_____

2. Notez les sentiments évoqués par ces deux personnes avant et après ainsi que les résultats.

	Avant	Après	Résultats
Elle			
Lui			

exprimer un **sentiment**, **ressentir** une **émotion**
être **sensible** = être réceptif aux émotions, aux impressions et, parfois, manifester des réactions

Voici quelques sentiments et émotions les plus courants.

■ L'amour (m), l'amitié (f)

éprouver de l'amour, de l'amitié pour
   une personne ≠ éprouver de la **haine**
aimer, adorer, **être fou de** quelqu'un
   ≠ détester, **haïr** quelqu'un
être **amoureux**/-euse de quelqu'un
    être **indifférent**/-e envers quelqu'un
tomber amoureux/-euse de quelqu'un, avoir **un coup de foudre**
   pour quelqu'un = devenir subitement amoureux/-euse
avoir une passion (= un penchant très fort) pour une personne
   ou pour un sujet passionnant

avoir un coup de foudre

être **passionné**/-e (de/par quelque chose)
une chose/un sujet/une personne **passionnant**(-e) (= très/extrêmement intéressant/-e)
une personne/un caractère **passionné**(-e)
éprouver/avoir de l'**adoration** pour une personne : *Elle n'écoute que sa fille adorée.*
être **sentimental** = être fleur bleue = être sensible aux sentiments tendres comme l'amour

■ L'enthousiasme (m)

montrer de l'enthousiasme = ressentir une émotion
   forte de joie et la manifester
être enthousiaste = être passionné et positif
être enthousiasmé par quelque chose ou
   par quelqu'un = être fortement séduit
s'enthousiasmer pour quelqu'un, pour quelque chose

enthousiaste

■ L'ennui (m)

= impression de vide, de lassitude qui provoque
   le manque d'intérêt, le désœuvrement
avoir le cafard (*familier* = sorte de dégoût de la vie)
s'ennuyer = ressentir de l'ennui face à une situation
   ennuyeuse (ennuyeux/-euse = qui n'est pas
   intéressant/-e)
être ennuyé/-e = avoir des soucis (m)/des ennuis (m)
   (= des problèmes), des préoccupations (f)

avoir le cafard

■ La surprise (f), l'étonnement (m)

= émotion provoquée par quelque chose d'inattendu
être **surpris**(-e)/**étonné**(-e) par quelqu'un ou quelque
   chose qui est **surprenant**(-e)/**étonnant**(-e)

la surprise

■ Le regret

avoir un regret, des **remords** (m) = **regretter** = ressentir du mécontentement
   d'avoir fait ou de n'avoir pas fait quelque chose dans le passé
ressentir de la **nostalgie**, être **nostalgique** (triste) de/par rapport à quelque chose
   = regretter quelque chose ou quelqu'un que l'on a quitté, perdu

■ La déception

= impression négative quand on attendait ou souhaitait quelque chose qui ne s'est pas réalisé
décevoir quelqu'un = ne pas répondre aux attentes de quelqu'un
être **déçu** par quelque chose ou quelqu'un

■ La honte ≠ la fierté

la honte = sentiment d'infériorité qui peut être mêlé de regrets
éprouver de la honte envers une action passée
avoir honte de soi, de quelque chose ou de quelqu'un
être **honteux**/-euse ≠ être **fier**/fière (avoir une bonne image de soi), ressentir de la fierté
Il est très fier de ses bons résultats à l'université.

■ **La colère**
= un emportement fort qui peut provoquer de l'agressivité,
   de la violence et des actions incontrôlées
être en colère
se mettre en colère (contre quelqu'un ou quelque chose), **s'emporter**, se fâcher
être/se mettre dans une colère noire = être très en colère
être **coléreux**/-euse = trait de caractère d'une personne qui s'emporte facilemen
être **fâché**/-e = être fortement contrarié/-e
être rouge/blanc/blanche de colère

être en colère

■ **La peur, l'appréhension, la crainte**
= émotion négative, difficile à maîtriser, face à un danger réel ou non
avoir peur (de), avoir la trouille *(familier)* (de)
une **phobie** = une crainte excessive et irraisonnée
être **peureux**(-euse)/*(familier)* trouillard(-e) par nature
être **effrayé**(-e)/**apeuré**(-e) par une chose, une situation :
   un regard effrayé/apeuré
craindre, **redouter** quelque chose
paniquer face à une situation qui met en danger :
   avoir une **peur panique**
l'**inquiétude** *(f)* (= une peur légère), l'**angoisse** *(f)*
   (= une peur intense qui déstabilise)
être **inquiet**/-iète, **angoissé**/-e
être blanc(blanche)/vert(-e) de peur

avoir peur

1. Relevez dans les dialogues les adjectifs et les noms ayant un rapport avec les sentiments et les émotions.

2. Complétez les séries de noms, adjectifs et verbes.

1. l'adoration	*adoré – adorable*	adorer
2. l'amour	_____	_____
3. _____	déçu – décevant	_____
4. _____	_____	s'inquiéter
5. l'ennui	_____	_____
6. _____	regretté – regrettable	_____
7. _____	_____	surprendre
8. la crainte	_____	_____

3. Associez les expressions de sens proche.

1. *être surpris*
2. tomber amoureux
3. redouter
4. se fâcher
5. regretter
6. être déçu
7. avoir honte
8. s'ennuyer
9. s'enthousiasmer

a. ne pas être fier
b. être positif, gai et le montrer
c. ne pas obtenir ce que l'on espérait
d. avoir des remords
e. se mettre en colère
f. *s'étonner*
g. n'éprouver aucune envie de rien
h. craindre
i. avoir un coup de foudre

4. **Retrouvez les expressions verbales de la liste qui caractérisent ces différentes attitudes.**

*se fâcher – regretter – avoir honte – s'adorer – être fou – haïr – craindre – **paniquer***

✎ *Exemple : Pierre est tombé, sans connaissance, alors que nous prenions un café.*

J'ai paniqué *et je n'ai même pas pensé à appeler un médecin !*

1. Mon copain a raté son examen, son père _____ vraiment _____ et il lui a interdit de sortir pendant un mois.

2. Elle a quitté Paris sans être montée en haut de la tour Eiffel et maintenant, elle _____ de ne pas y être allée.

3. Je déteste le mensonge ; je _____ les menteurs et les gens qui dissimulent la vérité.

4. Sophie est une grande voyageuse mais elle _____ terriblement les serpents. C'est une véritable phobie !

5. Mes parents _____ ; ils vivent pourtant ensemble depuis plus de vingt ans.

6. Quand Samuel a rencontré Malika, il a eu un coup de foudre et depuis, il _____ complètement _____ d'elle.

7. Mlle Ledoux n'aurait pas dû agir ainsi et elle le sait ; la preuve c'est qu'elle _____ tellement _____ qu'hier elle n'est pas venue au bureau.

5. **Complétez les phrases avec les mots de la liste à la forme correcte.**

*nostalgie – colère – angoisse – cafard – émotion – **passion** – remords – déception*

✎ *Exemple : Mes nouveaux amis partagent une véritable **passion** pour les voyages et, plusieurs fois par an, ils partent aux quatre coins du globe.*

1. Quand j'ai le _____, je m'enferme chez moi et je ne vois personne. Je n'ai plus goût à rien !

2. Ma sœur a quitté l'Italie depuis trois ans déjà mais quand elle parle de sa vie à Florence, on sent encore une profonde _____.

3. Ne t'inquiète pas ; maintenant, il est très en _____ mais ça lui passera !

4. C'est une personne très sensible mais, comme elle est excessivement timide, elle ne laisse pas paraître facilement ses _____ ; c'est pour cela que les gens la jugent sans cœur.

5. Il a vécu une grande _____ amoureuse et, depuis, il vit seul ; j'espère qu'il rencontrera une femme bien.

6. J'ai des _____ de ne pas avoir rendu plus souvent visite à ma grand-mère ; maintenant, c'est trop tard, elle est morte depuis longtemps et je pense souvent à elle.

7. Louise a des _____ quand elle pense à ses examens de fin d'année… Elle ne devrait pas prendre les choses autant à cœur !

6. **Activité. De quoi avez-vous eu honte ? Tombez-vous souvent amoureux ? Vous arrive-t-il parfois d'avoir le cafard ? Que regrettez-vous ? Avez-vous une phobie ? Comment manifestez-vous votre enthousiasme ? Discutez de ces sujets avec votre voisin(e) en donnant quelques détails sur les circonstances.**

7. LE TRAVAIL

■ *DANS UNE AGENCE D'INTÉRIM*

 piste **13**

La femme : Bonjour, madame. Je suis actuellement à la recherche d'un emploi. Mes enfants sont grands maintenant et je voudrais retravailler.

L'employée : Oui, dans quel domaine cherchez-vous un emploi ? Quelles sont vos qualifications ?

La femme : Après le bac, j'ai étudié la comptabilité et la gestion dans une école, pendant deux ans. Ensuite, j'ai passé une année en Angleterre comme jeune fille au pair dans une famille. Et au début de mon mariage, j'ai travaillé pendant quatre ans dans une entreprise d'import-export, au service comptabilité. Je vous ai apporté une lettre de recommandation de mon ancien employeur et mes diplômes, tenez…

L'employée : Merci, madame. Vous devez remplir cette fiche, j'ai besoin de vos diplômes et de vos certificats de travail. Mais vous savez, actuellement, dans la comptabilité, il y a du chômage.

(La femme remplit son dossier et le donne à l'employée de l'agence.)

L'employée : Bon, vous parlez anglais… et chinois ?

La femme : Oui, mon mari est chinois, je l'ai appris avec lui.

L'employée : Écoutez, j'ai peut-être quelque chose pour vous : une entreprise de textile vient d'ouvrir dans le quartier et ils cherchent une comptable à mi-temps. C'est une entreprise franco-chinoise. Ça vous intéresserait ?

La femme : Ce serait parfait, un emploi à mi-temps ! Je pourrais aussi m'occuper de mes enfants…

L'employée : Écoutez, je vous téléphone dès que j'ai des nouvelles.

La femme : Je vous remercie ! J'attends votre appel, ne m'oubliez pas, hein!

L'employée : Pas de problème. Je vous appelle.

Écoutez et répondez aux questions suivantes.

1. Remettez dans l'ordre le parcours de cette femme.

_____ Emploi de comptable dans une entreprise d'import-export

_____ Obtention du baccalauréat

_____ Jeune fille au pair en Angleterre

_____ Études de comptabilité et de gestion

2. Précisez quels documents sont nécessaires pour compléter son dossier.

_____

■ *UN JOB D'ÉTÉ*

🔊 piste **14**

> **Nathalie :** Salut Pierre ! Tu sais, je viens de trouver un job pour le mois d'août. J'ai eu un entretien hier avec le patron et je signe mon contrat demain. Je suis hyper contente !
>
> **Pierre :** Ah bon ! génial ! Qu'est-ce que tu vas faire ?
>
> **Nathalie :** Serveuse. Je vais travailler dans un café près de la gare. Les horaires sont sympa : de 11 heures à 20 heures, et je ne travaille pas le mardi ni le mercredi.
>
> **Pierre :** Pas mal ! Tu vas gagner combien ?
>
> **Nathalie :** 700 euros pour le mois.
>
> **Pierre :** Bof, pas terrible ! Moi aussi, j'ai trouvé un petit boulot : réceptionniste de nuit à l'Hôtel des Voyageurs. Je travaille de 22 heures à 8 heures du matin et j'ai 1 100 euros par mois.
>
> **Nathalie :** Tu travailles tous les soirs ?
>
> **Pierre :** Non, seulement cinq soirs par semaine. C'est bien, non ?
>
> **Nathalie :** Oui, mais tu passes tes journées au lit, ce n'est pas très intéressant !
>
> **Pierre :** Tu penses ! Je peux dormir quand les clients sont au lit et je passe mes journées à la piscine. Au fait, j'y vais maintenant ; tu viens avec moi ?

▶ *La recherche de travail*

■ Un/-e **demandeur/-euse d'emploi** est une personne qui cherche un emploi (= un/du travail).
Un **chômeur/une chômeuse** est une personne **au chômage**, qui a perdu son travail.

■ Quand on **cherche du travail**, on peut :
– lire les **offres** *(f)* **d'emploi** dans les **petites annonces** des journaux et sur des sites Internet ;
– aller dans une agence d'intérim ou à l'agence Pôle Emploi ;
– envoyer une **candidature** au DRH (directeur des ressources humaines, la personne qui gère, qui **recrute**, qui **engage** le personnel de l'entreprise) pour **postuler** : une **lettre de motivation** *(f)* (= pour se présenter et expliquer l'emploi recherché) avec un **CV** (*curriculum vitae*).

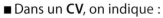

lire les offres d'emploi (dans les petites annonces)

■ Dans un **CV**, on indique :
– des renseignements personnels : nom, date de naissance, nationalité, coordonnées *(f)* (= adresse et numéro de téléphone) ;
– ses **qualifications** *(f)* : diplômes *(m)*, études faites, stages *(m)* (= emplois courts, parfois **non rémunérés**, c'est-à-dire sans salaire) ;
– son **expérience professionnelle** (= les emplois précédents) ;
– les langues étrangères connues ;
– des informations plus personnelles : niveau en informatique, intérêts, loisirs.

■ On peut chercher un emploi **à plein temps** (= 35 heures ou plus par semaine) ou **à temps partiel** : par exemple, **à mi-temps**, on travaille environ vingt heures par semaine.

▶ *L'embauche (f)*

■ Quand on reçoit une **réponse positive**, on a un **rendez-vous**/on est **convoqué** pour un **entretien** avec le DRH.
On peut présenter ses diplômes et les lettres de recommandation de ses anciens employeurs.

un entretien avec le DRH

■ Avant de commencer à travailler, le/la **salarié/-e** (l'**employé/-e** ou le **cadre**) signe un **contrat** avec l'**employeur** (= le **patron**) qui indique les **conditions** *(f)* **de travail** : le **poste** ou la **fonction** (= le travail à faire), les **horaires** (= le nombre d'heures de travail par semaine), le **salaire** mensuel ou annuel (= l'argent gagné par mois ou par an), la **durée** du contrat :
– un **CDD** (= contrat **à durée déterminée**, pour une durée précise) ;
– un **CDI** (= contrat **à durée indéterminée**).

les congés payés

■ Quand les salariés sont en vacances, ils ont droit à des **congés payés** (cinq semaines de vacances par an). Ils sont aussi payés les **jours fériés** (= les jours officiels de fête).

■ Chaque mois, on reçoit un **bulletin de salaire** (= une **fiche de paye**) qui indique le **salaire** moins les **charges sociales : cotisations** *(f)* pour payer l'**assurance** *(f)* **maladie** (quand on est malade), l'assurance **chômage** (quand on a perdu un emploi) et l'assurance **vieillesse** (quand on sera à la retraite).

un bulletin de salaire

■ Certains étudiants cherchent souvent un **job** (= un petit **boulot** *[familier]* = un petit travail).
Ils font aussi des **stages** en **entreprise** (pouravoir une première **expérience professionnelle**) : ils sont **stagiaires**.

▶ *Le licenciement*

Une personne est **licenciée** quand elle perd son travail dans une entreprise.

▶ *La retraite*

Quand on a soixante-deux ans ou plus, on peut arrêter de travailler : on **prend sa retraite** ou on **part à la retraite** = on est **retraité/-e**.
On **touche** (= reçoit) **une allocation de retraite** (de l'argent) chaque mois.

1. **Dans le dialogue 1, retrouvez les informations suivantes.**

    1. Le type d'emploi recherché :

    2. La formation :

    3. L'expérience professionnelle :

    4. Les langues parlées :

    5. L'emploi possible :

Dans le dialogue 2, retrouvez les informations suivantes sur les emplois de Nathalie et de Pierre.

	Nathalie	Pierre
1. Poste/lieu de travail		
2. Durée du contrat		
3. Jours et horaires de travail		
4. Salaire mensuel		

2. **Dans chaque série, barrez l'intrus.**

  🖉 *Exemple :* **un entretien** – *une annonce – une lettre de recommandation – un CV – un contrat – une lettre de motivation*

    1. un emploi – un poste – une candidature – un job – un travail – un boulot – un stage

    2. un patron – un DRH – un CV – un employeur – un retraité – une employée – une stagiaire

    3. un salaire – une durée de contrat – un poste – des horaires – une agence Pôle emploi

    4. la retraite – les congés – un stage – un congé maladie – le chômage – un jour férié

    5. un salaire – une allocation – un licenciement – une allocation de retraite – une paye

3. Mettez en relation les expressions de sens proche.

1. *recruter*	a. être retraité
2. toucher un salaire	b. être stagiaire
3. chercher un emploi	c. être au chômage
4. prendre sa retraite	d. être à la recherche d'un travail
5. être licencié	e. *engager*
6. signer un contrat de travail	f. gagner
7. faire un stage	g. être recruté
8. être chômeur	h. perdre son emploi

4. Recherche d'emploi : remettez ces éléments dans l'ordre.

_____ a.	J'envoie mon CV.
_____ b.	Je commence le 1er septembre.
_____ c.	Je m'inscris comme demandeur d'emploi.
_____ d.	J'ai un entretien de recrutement.
_____ e.	*Je vais dans une agence Pôle emploi.*
_____ f.	Je signe mon contrat de travail.
_____ g.	J'écris une lettre de motivation.
_____ h.	Je lis les petites annonces.
_____ i.	Le DRH m'envoie un courrier.

5. Complétez les phrases avec les mots suivants.

*conditions – stage – signer – assurance maladie – licencie – fiche de paye – **retraite** – salaire – recrute – expérience – assurance chômage – gère – charges sociales*

✎ *Exemple : En France, un employé peut prendre sa **retraite** après 65 ans.*

1. À la fin du mois, on reçoit une _____ ; elle indique le _____ mensuel, moins les _____.

2. À la fin de leurs études, les jeunes doivent souvent faire un _____ pour avoir une première _____ professionnelle.

3. Quand on est salarié, on paye une partie de son salaire pour l' _____ et l' _____.

4. Avant de commencer un nouvel emploi, on doit _____ un contrat de travail. Il indique les _____ de travail.

5. Le DRH est la personne qui _____ le personnel ; il _____ les nouveaux salariés et il _____ quand l'entreprise doit réduire son personnel.

6. Activité. Vous allez dans une agence Pôle emploi pour chercher un travail. Vous vous présentez à l'employé(e) et il/elle vous pose des questions sur l'emploi et le poste recherché, votre formation et votre expérience professionnelle. Vous répondez et il/elle vous propose un emploi. Vous lui posez des questions sur les conditions de travail.

8. LE TÉLÉPHONE

■ *RENDEZ-VOUS MANQUÉ*

 piste 15

L'employée : Banque du Commerce, bonjour !

Vincent : Bonjour madame, je voudrais parler à M. Cortineau, s'il vous plaît.

L'employée : C'est de la part de qui ?

Vincent : Vincent Armand.

L'employée : Ne quittez pas, je vais voir si M. Cortineau peut vous parler. (…) Je suis désolée, M. Cortineau est en ligne. Pouvez-vous rappeler un peu plus tard ?

Vincent : Bien, merci madame.

(Une demi-heure plus tard.)

L'employée : Banque du Commerce, bonjour !

Vincent : Oui, j'ai déjà appelé tout à l'heure, pouvez-vous me passer M. Cortineau, s'il vous plaît.

L'employée : Ah oui ! vous êtes monsieur… ?

Vincent : Vincent Armand.

L'employée : Patientez quelques instants, je vous le passe. (…) Monsieur Cortineau, M. Armand veut vous parler.

M. Cortineau : Désolé, je suis en réunion. Prenez ses coordonnées, je le rappelle quand la réunion est finie.

L'employée : Monsieur Armand, M. Cortineau est occupé, il va vous rappeler. Quel est votre numéro ?

Vincent : C'est le 03 45 98 12 59. Mais peut-il me rappeler avant 16 heures ? Ensuite, je dois partir.

L'employée : Pas de problème. Au revoir, monsieur.

Vincent : Au revoir, madame.

(Quatre heures plus tard.)

Vincent : Vous êtes bien sur le répondeur de Vincent Armand, je ne peux pas prendre votre appel mais laissez-moi un message et je vous appellerai dès que possible. Parlez après le bip.

M. Cortineau : Oui, monsieur Armand, Louis Cortineau à l'appareil. Vous avez essayé de me joindre aujourd'hui et je vous rappelle très tard. Je suis désolé. Téléphonez-moi demain, je suis à mon bureau à partir de 9 heures.

◀ Écoutez et associez les questions aux réponses :

1. Qui appelle ?	a. Il est en ligne.
2. Qui décroche ?	b. Louis Courtineau
3. Qui est la personne demandée ?	c. Il est en réunion.
4. Pourquoi le 1er appel ne réussit pas ?	d. La standardiste de la Banque du Commerce
5. Pourquoi le 2e appel ne réussit pas ?	e. Le nom et le numéro de téléphone
6. Quel renseignement la standardiste demande-t-elle ?	f. Il a appelé trop tard.
7. Pourquoi y a-t-il un message sur le répondeur ?	g. Vincent Armand

■ *PLUS DE FORFAIT !*

 piste **16**

> **Arnaud :** Je n'arrive pas à joindre Paul ; il n'est jamais chez lui et on doit se retrouver ce soir pour le concert de Jean-Louis Aubert. Tu as son numéro de portable ?
>
> **Mathieu :** Oui, mais je n'ai plus de forfait, donc appelle-le. C'est le 06 44 39 61 80.
>
> **Arnaud :** Merci. J'essaie… Zut, il ne répond pas !
>
> **Mathieu :** Envoie-lui un texto, en général, il les lit.
>
> **Arnaud :** Oui, tu as raison… Oh, je n'ai plus de batterie. J'ai oublié de le mettre en charge hier. Comment je vais faire ?
>
> **Mathieu :** Tiens, tu as de la chance, voilà Marlène, je suis sûr qu'elle a son portable et qu'elle sera ravie d'appeler Paul !

◀ Écoutez et cochez les phrases vraies.

☐ Ils doivent tous les trois aller ce soir à un concert.

☐ Mathieu a le numéro de Paul mais il ne peut pas l'appeler car il n'a plus de forfait.

☐ L'autre garçon appelle Paul mais il ne répond pas.

☐ Il ne peut pas lui envoyer de texto car il n'a plus de forfait.

☐ Marlène va appeler Paul et elle sera contente de lui parler.

▸ *Les actions et les objets*

téléphoner, donner/passer un **coup de fil** à quelqu'un, appeler quelqu'un

décrocher	raccrocher (le téléphone, le **combiné**)	faire/**composer** un numéro (de téléphone)

répondre au téléphone = prendre une **communication**

un **poste fixe** (= avec une **ligne fixe**)   un (téléphone) **portable/smartphone**

Pour obtenir une ligne téléphonique, il faut prendre un **abonnement**. On paie la facture chaque mois.
prendre annuler un abonnement téléphonique
D'un téléphone, on peut appeler et laisser des **messages** *(m)* (sonores) sur la **boîte vocale**.
D'un téléphone portable, on peut aussi envoyer un texto ou un **SMS** (= des messages écrits).
Pour utiliser un portable, il faut prendre un abonnement avec un **forfait** mensuel ou acheter
une carte pré-payée. On doit aussi recharger (= mettre en charge) régulièrement la batterie.

On peut téléphoner d'une cabine téléphonique : il faut alors introduire une carte téléphonique prépayée.
un indicatif (= le numéro pour un pays ou une région)
un **appel local** (dans la même ville), un appel **national** (dans le même pays), **international**
laisser ses cordonnées (donner son nom et son numéro de téléphone,
   éventuellement son adresse)

▸ *Quelques expressions pour téléphoner*

■ Se présenter
Allô, (c'est) René Lami à l'appareil.
Bonjour, c'est Joseph Legrand, de France Meubles.
Salut, c'est Pierre. (informel)

■ Répondre à un appel
Allô, Marc Pingeot, bonjour !
La Banque du Commerce, bonsoir.

■ Demander à parler à quelqu'un
Je voudrais parler à Nathalie Lebrun, s'il vous plaît.
Pouvez-vous me passer Nathalie Lebrun, s'il vous plaît ?

■ Demander la raison de l'appel
C'est à quel sujet ?

■ Demander qui appelle
C'est de la part de qui ?
Qui est à l'appareil ?
Vous êtes… ?
Vous êtes madame… ?

■ Demander à une personne d'attendre
Vous pouvez patienter ?
Une petite seconde, s'il vous plaît.
Un instant, s'il vous plaît.
*Ne **quittez** pas./Restez en ligne.*

■ Transférer une communication
Je vous passe Mlle Lebrun.
Je vous passe la communication.
*M. Leroy souhaite vous parler, je vous le **passe**.*

■ Dire que la communication n'est pas possible
*Je suis désolé(e), M. Legendre est **en ligne**/est en communication/est occupé/s'est absenté.*
*Je n'arrive pas à **joindre** M. Legendre.*

■ Demander de rappeler
*Pouvez-vous **rappeler** plus tard/demain matin ?*

■ Demander de laisser un message
Est-ce que vous pouvez dire à Mme Lebrun que j'ai appelé ?
S'il vous plaît, pouvez-vous faire part à Mme Lebrun de mon appel ?
*Pouvez-vous laisser/**transmettre** un message à Mme Lebrun ?*

■ Proposer de laisser un message
Avez-vous un message à transmettre à M. Dupuis ?
Je peux prendre un message ?
Souhaitez-vous laisser un message à M. Dupuis ?

■ Proposer de rappeler
Laissez-moi vos coordonnées, M. Dupuis vous rappellera dès son retour.

■ Terminer la communication
Au revoir/bonsoir/bonne soirée/à bientôt/à lundi.

■ Vous vous êtes trompé de numéro
*Je suis désolé, vous faites **erreur**. Vous avez fait un faux numéro.*

■ Inviter à laisser un message sur un répondeur
Veuillez laisser un message./Vous pouvez laisser votre message.

---

1. **Associez les mots de sens proche.**

✎ *Exemple : (en gras)*

1. Cliquer sur une touche	a. Arrêter la communication
2. Raccrocher le combiné	b. Prendre la communication
3. Décrocher	c. Écrire un SMS
4. Patienter	d. Téléphoner plus tard
5. Rappeler	*e. Appuyer sur une touche*
6. Laisser un message	f. Taper sur les touches du téléphone
7. Composer un numéro	g. Rester en ligne

2. **Associez les expressions de sens voisin.**

1. *Je vous passe Mme X.*   a. Restez en ligne.

2. C'est de la part de qui ?   b. Vous avez fait un faux numéro.

3. Je voudrais parler à…   c. Vous pouvez retéléphoner ?

4. Ne quittez pas.   d. Donnez-moi votre nom et votre numéro de téléphone.

5. Laissez-moi vos coordonnées.   e. Il est en communication.

6. La ligne est occupée.   f. *Je vous donne sa ligne.*

7. Rappelez plus tard.   g. Pouvez-vous me passer…

8. Ce n'est pas le numéro que vous demandez.   h. Qui est à l'appareil ?

3. **Soulignez le mot qui convient.**

✎ *Exemple : Je dois* téléphoner – ***appeler*** – *parler Frédéric.*

1. Le téléphone sonne. Tu peux raccrocher – appeler – répondre ?

2. Je n'arrive pas à joindre Mamie, je suis encore tombé sur son message – répondeur – messagerie .

3. Désolé, M. Vallet n'est pas là. Je peux prendre – enregistrer – laisser un message ?

4. Je suis désolé, je n'ai pas son nombre – numéro – coordonnées de portable.

5. Vous demandez à parler à Lucie Montaigne. On vous laisse – passe – prend la ligne.

6. Après le bip, vous pourrez prendre – passer – laisser votre message.

4. **Cochez la ou les bonnes réponses.**

✎ *Exemple : M. Dufour est déjà au téléphone, on vous dit :*

→ *Désolé, M. Dufour est* ☐ *absent* ☒ ***en ligne*** ☐ *en réunion.*

1. On vous demande d'attendre, on vous dit :

☐ Vous pouvez patienter. ☐ Vous pouvez rappeler. ☐ Ne quittez pas.

2. Vous n'arrivez pas à parler à la personne que vous voulez joindre, la messagerie vous dit :

☐ Vous pouvez rappeler ultérieurement. ☐ Vous pouvez laisser un message vocal.

☐ Vous pouvez décrocher.

3. Vous obtenez la conversation avec votre correspondant. La standardiste vous dit :

☐ Vous pouvez laisser un message. ☐ Je vous passe la ligne. ☐ Restez en ligne.

4. Vous entendez « Parlez après le bip sonore. » quand :

☐ votre correspondant est en ligne ☐ il est absent

☐ vous êtes en liaison avec sa messagerie téléphonique.

5. Vous souhaitez parler à Mlle Martel. Sa secrétaire vous dit :

☐ C'est de la part de qui ? ☐ Donnez-moi vos coordonnées. ☐ Qui est à l'appareil ?

5. **Remettez ce dialogue dans l'ordre.**

_____ a. – C'est Martin, un copain du lycée. Elle va rentrer bientôt ?

_____ b. – Oui, il n'y a pas de cours de chimie demain matin.

___1___ c. – *Allô, bonjour Madame, je voudrais parler à Valérie.*

_____ d. – Au revoir, Martin.

_____ e. – Bonjour, Valérie vient de sortir. Qui est à l'appareil ?

_____ f. – Oui, si elle veut, sur mon portable ; elle a mon numéro ; sinon, je lui téléphonerai plus

tard. Je vous remercie, au revoir Madame.

_____ g. – Je ne sais pas exactement. Tu peux rappeler dans une heure, elle sera peut-être rentrée.

Tu veux lui laisser un message ?

_____ h. – Bon, je vais le dire à Valérie. Tu veux qu'elle te rappelle ?

6. **Activités. – Vous voulez parler à Mme Duby. Sa secrétaire vous informe qu'elle est occupée. Elle vous demande de laisser un message ou de rappeler.**

– Vous appelez votre amie. Elle est sortie et sa sœur vous répond. Vous dites que vous rappelez plus tard.

■ BILAN 2

1. Complétez ces phrases avec les adjectifs suivants à la forme correcte.

malin – doux – timide – menteur – ennuyeux – pessimiste

1. Marie est une fille intelligente mais beaucoup trop _____ ; dans une soirée, on ne la remarque pas, pourtant elle a des choses intéressantes à dire.

2. Louis est _____ comme un arracheur de dents ; il passe son temps à raconter des histoires.

3. Léo est un petit garçon très gentil et câlin. Il est _____ comme un agneau.

4. J'adore Brigitte, elle est pleine de vie et amusante mais je ne comprends pas comment elle peut vivre avec son mari, il est tellement _____ ; c'est tout son contraire.

5. Va voir Nicolas : il est _____ comme un singe et il trouve toujours une solution.

6. C'est décidé, je n'irai plus voir Mireille. Elle me déprime, elle est trop _____ pour moi.

2. Voici des portraits. Faites le portrait opposé.

✎ *Exemple : Mme Laburthe est simple et sympathique mais elle est hypocrite.*

M. Laburthe, lui, est → ***compliqué et antipathique mais il est franc.***

1. Amélie est drôle, elle est joyeuse et très ouverte mais elle est paresseuse.
   En revanche, son frère est → _____

2. Simon est sérieux, très intelligent et modeste mais il est terriblement nerveux et un peu hypocrite.
   En revanche, sa sœur est → _____

3. Véronique est désagréable, elle a mauvais caractère mais elle est au fond très gentille et généreuse.
   Son mari est tout le contraire, il est → _____

4. Julien est réservé, doux, mais il est désinvolte et souvent grossier.
   Son amie, elle, est → _____

3. Remplacez les expressions soulignées par une expression équivalente.

✎ *Exemple : Je suis très <u>surprise</u> par ton attitude : je ne te croyais pas aussi égoïste ! →* ***étonnée***

1. Marc est <u>complètement fou</u> de Marine depuis leur première rencontre. → _____
2. Valérie a un caractère <u>positif et passionné</u> qui est vraiment agréable. → _____
3. Mélanie <u>n'est pas fière</u> de sa famille et elle ne veut pas que ses nouveaux amis la rencontrent. → _____
4. Son collègue <u>s'est mis en colère</u> parce qu'elle avait refusé de le remplacer vendredi prochain. → _____
5. <u>De peur, elle a perdu tout contrôle</u> et s'est mise à pleurer. → _____
6. Louise <u>s'attendait à une autre réaction</u> de son frère et depuis, elle ne lui parle plus. → _____

4. Complétez les phrases avec les adjectifs suivants à la forme correcte.

*effrayant – **surprenant** – passionnant – ennuyeux – décevant – ennuyé – déçu – passionné – surpris – effrayé*

✎ *Exemple : C'est **surprenant** que tu partes en voyage en Inde, toi qui détestes la pauvreté et le manque de confort. Je ne te comprends pas.*

1. Récemment, j'ai lu un livre _____ sur un récit de voyages et je te le conseille ; je suis certaine que tu seras aussi _____ que je l'ai été.

2. J'avais lu de bonnes critiques sur le dernier film de Klapisch et je suis très _____ que ma sœur ait été _____ par ce film. Elle a trouvé le traitement du sujet trop stéréotypé.

3. Quand je sors mon chat dans la rue, il est _____ par les voitures et refuse de marcher.

4. J'ai assisté à une conférence très _____ sur le réchauffement climatique. Le sujet était intéressant mais j'ai trouvé le conférencier _____ ; il avait une voix monotone et lisait ses notes. J'ai failli m'endormir !

5. Le nombre de suicides des jeunes a encore augmenté cette année. C'est _____ qu'on ne puisse pas aider ces jeunes en détresse.

6. Mon frère ne pourra pas venir dîner avec nous samedi soir : il m'a téléphoné et il semblait très _____. On pourrait peut-être faire ça dimanche soir ?

5. **Complétez ces phrases avec les expressions suivantes à la forme correcte.**

contrat – cotisation – congé – stage – à temps partiel – poste – salaire – charges sociales – licenciement

1. Les emplois _____ conviennent très bien aux mères de jeunes enfants.

2. La majorité des employés prennent leurs _____ pendant l'été.

3. L'entreprise a dû réduire son personnel et a décidé plusieurs _____. La totalité des _____ était devenue trop lourde à payer.

4. Mon fils a terminé son _____ de six mois et son directeur lui a proposé un _____ intéressant ; il vient de signer son _____ et il va fêter ça avec ses amis.

5. Sur ta feuille de paye, tu vois que les _____ sociales sont retirées de ton _____.

6. **Complétez ces échanges.**

1. – Je **voudrais parler** à Mme Dupuy, s'il vous plaît.
   – C'est _____ ?
   – Paul Lafarge.
   – Ne _____, je vous la passe.

2. – Désolée, Mme Dupuy est _____. Pouvez-vous me _____, elle vous rappellera plus tard.

7. **Complétez les phrases suivantes avec les verbes suivants à la forme correcte.**

*raccrocher – joindre – rappeler – **décrocher** – patienter – recharger – envoyer – prendre*

1. J'ai les mains dans la farine, tu peux **décrocher** s'il te plaît ? Si c'est Suzanne, dis-lui de _____ ou de me _____ dans cinq minutes.

2. J'ai oublié de _____ mon portable, c'est pour ça que tu n'as pas pu me _____ aujourd'hui.

3. Arthur a _____ un abonnement qui lui permet d' _____ autant de textos qu'il veut.

4. Mon père était furieux et il m'a _____ au nez quand je lui ai dit que je ne rentrais pas.

7. L'INFORMATIQUE

■ *CHOISIR UN ORDINATEUR*

 piste **17**

(Dans un magasin d'informatique.)

La cliente : Bonjour monsieur, je voudrais acheter un ordinateur portable. Je ne connais absolument rien en informatique mais ma fille, qui habite à l'étranger, m'a dit d'en acheter un pour pouvoir communiquer avec elle par Internet. Je voudrais pouvoir envoyer et recevoir des courriels mais aussi brancher une webcam. Je n'ai pas besoin d'autres fonctions.

Le vendeur : Oui, je vois. Ce portable PC est très bien et il est en promotion actuellement. Nous avons aussi ce modèle Mac qui est plus cher mais plus facile à utiliser si vous êtes débutante. Les claviers sont les mêmes, l'écran de celui-ci est plus grand. Vous voyez ici : sur ces prises USB, vous pourrez brancher une souris et une webcam.

La cliente : Et là, qu'est-ce que c'est ?

Le vendeur : C'est la prise pour recharger la batterie. Vous avez une autonomie de quatre heures environ. Pour la connexion Internet chez vous, il faudra prendre un abonnement chez un fournisseur d'accès à Internet. Quelqu'un peut vous aider pour vous montrer comment l'utiliser ?

La cliente : Oui. Je peux me brancher sur ma prise de téléphone, je crois, et mon neveu connaît très bien tout ça : il passe son temps à surfer sur Internet ! Vous pouvez me montrer un peu comment ça marche ?

Le vendeur : Voilà, pour l'allumer, vous appuyez sur cette touche. Pour vous connecter à Internet, vous devrez cliquer sur cette icône. Maintenant, nous ne sommes pas connectés, donc la page Internet ne peut pas s'ouvrir. Ici, en haut, c'est la barre d'outils. Si, plus tard, vous voulez faire du traitement de texte, vous devrez cliquer sur cette icône pour ouvrir une page blanche. Il faut prendre l'habitude de sauvegarder régulièrement vos textes, sinon vous risquez de les perdre.

La cliente : Bon, merci, tout ça est un peu compliqué et je vois que vous avez d'autres clients qui attendent. Je vous remercie, je vais revenir avec mon neveu. Au fait, il fait quel prix ?

Le vendeur : Ce modèle est à 1 200 euros.

La cliente : Merci bien, on repassera demain.

Le vendeur : Au revoir madame.

◀ Écoutez et répondez aux questions suivantes.

1. Où est cette femme ?

_____

2. Pourquoi veut-elle acheter un ordinateur ?

_____

3. Pourquoi le vendeur lui montre le Mac ? (2 raisons)

_____

4. De quelles parties de l'ordinateur parle-t-il ?

_____

5. Quelles indications donne-t-il pour obtenir une connexion Internet ?

_____

6. Qui pourrait aider cette femme pour l'installation de son ordinateur ?

_____

7. Pourquoi dans le magasin la page Internet ne s'ouvre pas ?

_____

8. Quel conseil donne-t-il à la cliente pour ne pas perdre ses textes ?

_____

9. Quel est le prix de l'ordinateur ?

_____

10. Quelle est la décision de la cliente ?

_____

■ TABLETTE OU ORDINATEUR ?

 piste 18

(Alice est avec sa collègue Mathilde au bureau)

Alice : Je ne comprends pas pourquoi on utilise encore ces ordinateurs alors qu'on peut tout faire avec une tablette. Mon copain en a une et il s'en sert tout le temps ! Il a téléchargé plein d'applications.

Mathilde : Tu exagères, c'est vrai que c'est plus pratique, plus léger, moins encombrant mais par exemple aujourd'hui on ne peut pas imprimer ou brancher une clé USB, ni lire un CD sur une tablette. C'est parfait pour les loisirs, pour les voyages mais pas pour le travail.

Alice : Tu as peut-être raison mais je suis convaincue que bientôt on n'utilisera plus que des tablettes même au travail !

◀€ Écoutez et cochez les phrases vraies.

☐ Sur une tablette, on ne peut pas télécharger d'applications.

☐ Une tablette est plus légère qu'un ordinateur.

☐ Un ordinateur est plus pratique qu'une tablette.

☐ On ne peut pas brancher une imprimante sur une tablette.

☐ On peut lire un CD sur une tablette.

☐ La tablette est plutôt adaptée aux loisirs.

☐ L'ordinateur permet de voir des documents stockés sur une clé USB.

☐ Un jour on utilisera peut-être des tablettes sur le lieu de travail.

l'**informatique** *(f)* = l'ensemble des techniques permettant le traitement de l'information par **ordinateur**
un/-e **informaticien**/-ne = un/-e spécialiste de l'informatique

▶ *L'ordinateur et les périphériques*

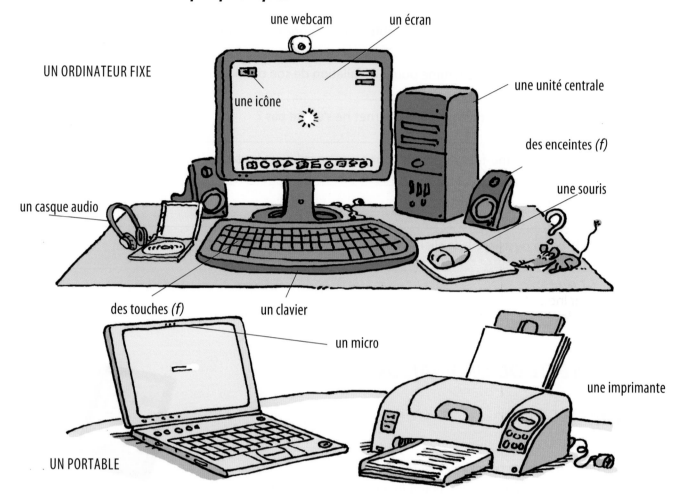

Dans un ordinateur, fixe ou portable, il y a le **disque dur** (= le système informatique avec la **mémoire** contenant les éléments stockés), un écran (sur lequel on lit ou on regarde), un clavier (avec lequel on compose un texte), une souris (qui permet de déplacer la flèche sur l'écran et d'**activer** certaines fonctions).

Le clavier est composé de touches avec des chiffres, des lettres, des signes de ponctuation, quelques symboles et des fonctions spéciales.

Quand on déplace la souris, on peut **cliquer** sur une icône pour l'ouvrir/l'activer ou la fermer/la **désactiver**. La page sélectionnée (= choisie) s'ouvre.

À la fin de l'utilisation, on peut quitter l'activité ou la fonction puis éteindre l'ordinateur ou le mettre **en veille** (= en attente d'une prochaine utilisation).

Dans un ordinateur, on a un **lecteur** de cédéroms (ou CD-Rom) et de DVD.

On peut aussi ajouter un disque dur externe.

Pour **imprimer** un texte, il faut une **imprimante**.

Pour **scanner** (= enregistrer par la photographie) une image ou un texte, il faut un **scanner**.

On peut aussi mettre en mémoire (= stocker) des sons ou des textes sur une clé USB, un CD/un DVD. On **grave** alors un cédérom/un DVD.

On peut aussi brancher des enceintes pour écouter, un casque pour parler et écouter…

▸ Les fonctions/Les applications

Un ordinateur a beaucoup de fonctions.

– Pour écrire un texte, il faut utiliser un **logiciel** (= un programme informatique) appelé « traitement de texte », taper (= composer) le texte à partir des touches du clavier. Il faut ensuite le **sauvegarder** (= le mettre en mémoire/le stocker sur le disque dur). On peut aussi le sauvegarder sur un CD ou une clé USB (= une mémoire annexe et portable).

une clé USB

– Pour **se connecter** à Internet, il faut prendre un abonnement chez un fournisseur d'accès à Internet pour utiliser un navigateur. Avec Internet, on peut créer sa boîte de **courrier électronique**, pour écrire et recevoir des **courriels** (m)/e-mails (m). On peut ainsi envoyer et recevoir des messages, des sons, et aussi des images.

une webcam

– Une application est un programme qui permet d'aider les utilisateurs dans des domaines spécifiques par exemple,une application RATP pour calculer un itinéraire en transports en commun dans Paris.

– On peut aussi avoir Internet sans être connecté à un modem, par **la WIFI** (réseau non cablé qui donne accès à une connexion internet).

– Grace à Internet, on peut **télécharger** des documents et aussi des fichiers musicaux au format mp3.

▸ Pour aller plus loin

surfer sur Internet = se déplacer, naviguer sur les sites du réseau Internet

la toile = le réseau Internet

un/-e internaute = un/-e utilisateur/-trice d'Internet

un cybercafé = un lieu, souvent un café, équipé d'ordinateurs où on peut consulter Internet

une liseuse = écran lumineux qui permet de lire un grand nombre de textes littéraires préalablement stockés.

---

1. Relevez dans les dialogues les noms et les actions se rapportant à l'informatique.

1. Noms	2. Verbes

2. Dans chaque série, barrez l'intrus et indiquez le genre des noms par « un » ou « une ».

✐ Exemple : **une** clé USB – **un** CD – ~~une webcam~~ – **un** DVD – **un** cédérom

1. _____ souris – _____ clavier – _____ clé USB – _____ écran – _____ touche
2. _____ mémoire – _____ disque dur – _____ enceinte – _____ programme – _____ logiciel
3. _____ lecteur de cédéroms – _____ logiciel – _____ imprimante – _____ scanner – _____ micro
4. graver – scanner – surfer – enregistrer – éteindre – sauvegarder
5. composer – sauvegarder – envoyer – cliquer – recevoir – scanner

3. Associez les actions et les parties à utiliser dans un ordinateur.

1. *On sort un document sur papier avec une...*   a. webcam
2. On obtient le son avec des...   b. souris
3. On reçoit des images en direct avec une...   c. lecteur de cédéroms
4. On se fait entendre à distance grâce à un...   d. clé USB
5. On obtient la photo d'un document avec un...   e. scanner
6. On ouvre une icône sur l'écran avec la...   f. enceintes
7. On conserve des informations grâce à une...   g. *imprimante*
8. On lit et on grave un cédérom ou un CD avec un...   h. micro

4. Retrouvez la fin des phrases suivantes.

1. ***Quand j'arrête une action,…***
2. Quand je clique sur une icône,…
3. Quand je mets en veille,…
4. Quand je branche une clé USB,…
5. Quand je sauvegarde un document,…
6. Quand je n'ai plus de batterie,…
7. Quand je quitte un logiciel,…
8. Quand je surfe sur Internet,…

a. je me déplace sur le réseau Internet.
b. je branche mon ordinateur sur l'électricité.
c. je le mets en mémoire.
d. je ne peux plus l'utiliser.
e. ***je quitte une fonction.***
f. je peux lire des documents stockés.
g. je l'ouvre ou je la ferme.
h. je ferme mon ordinateur sans l'éteindre.

5. Complétez ces phrases avec les verbes à la forme correcte.

*cliquer – sauvegarder – **brancher** – imprimer – se connecter – scanner – graver*

✏ *Exemple : Ta webcam ne fonctionnait pas car tu l'**avais** mal **branchée** ; regarde, maintenant, ça marche.*

1. Quand tu tapes un texte un peu long, n'oublie pas de _____ au fur et à mesure ce que
   tu écris, pour ne pas le perdre.
2. Pour conserver un document, vous pouvez le mettre en mémoire sur une clé USB, ou le _____
   sur un CD.
3. J'ai reçu des photos de mes amis par mail mais je n'ai pas d'imprimante ; est-ce que je peux venir
   chez toi les _____ en couleur ?
4. Pour ouvrir ce dossier, tu dois _____ deux fois avec la souris.
5. Je voudrais transmettre deux pages de cette revue à mes amis de Québec, c'est urgent ; je peux
   passer dans ton bureau pour les _____ ? Je pourrai ainsi les leur envoyer par mail.
6. Pour envoyer un message, il faut d'abord _____ grâce à votre fournisseur d'accès à Internet,
   en composant votre nom de messagerie et votre code d'accès.

6. Complétez ces phrases à l'aide des mots suivants.

*internautes – toile – **courriel** – cybercafé – clé USB – connexion – électronique*

✏ *Exemple : Envoie-nous un **courriel**, comme ça, on saura comment se passe ton voyage.*

1. Quand je voyage, j'aime bien aller dans un _____ pour consulter mes mails.
2. Voici ma nouvelle adresse _____ : carolineduroux@hotmail.com.
3. Les jeunes sont de vrais _____ ; dès leur plus jeune âge, ils se sont familiarisés
   avec l'utilisation d'Internet.
4. Les recherches sont très simplifiées sur la _____ ; on trouve à peu près tout,
   si on a un ordinateur et une _____ Internet.
5. J'ai mis toutes mes photos de vacances sur ma _____, tu veux les voir ?

7. Activité. Expliquez à votre voisin(e) comment il/elle doit faire pour utiliser une webcam ou graver un CD.

10. LES VOYAGES

■ *VOYAGE À TOULOUSE*

 piste **19**

(Deux mères de famille se rencontrent.)

Anne : Alors, vous allez comment à Toulouse ?

Lucie : Je ne sais pas encore : on peut prendre le train, ou l'avion.

Anne : Vous n'avez plus votre voiture ?

Lucie : Si, mais c'est beaucoup de route et, au retour, il y a les embouteillages du dimanche soir. Dans le train, on se repose.

Anne : Donc vous partez en train ?

Lucie : Je ne sais pas. Le train, c'est bien, mais il faut changer à Montpellier et

attendre la correspondance. Il n'y a pas de TGV direct.

Anne : Alors, prenez l'avion !

Lucie : C'est plus rapide, bien sûr, mais beaucoup plus cher ! On est quatre et les enfants sont grands ; ils paient plein tarif maintenant.

Anne : Moi, j'ai une bonne idée : invitez vos amis ;

ils viennent passer la semaine chez vous, et vous restez tranquillement à la maison… Et s'ils n'ont pas de voiture ils peuvent venir en covoiturage.

Lucie : Toi, vraiment, tu n'es pas une voyageuse !

Mais c'est vrai que c'est beaucoup plus simple et plus économique pour tous !

◀ Écoutez et cochez la bonne réponse.

1. La femme hésite à voyager en…

☐ train ou en avion.　　☐ voiture ou en avion.　　☐ voiture ou en covoiturage.

2. Elle préfère le train parce qu'en comparaison de la voiture c'est…

☐ plus reposant.　　☐ moins cher.　　☐ plus compliqué.

3. Elle écarte l'avion parce qu'en comparaison du train c'est…

☐ plus cher.　　☐ moins direct.　　☐ plus rapide.

4. Son amie lui propose…

☐ de partir seule avec son mari en avion.

☐ d'inviter ses amis à venir.　　☐ de rester en famille à la maison.

5. Pour les gens qui n'ont pas de voiture, le covoiturage est une solution…

☐ chère.　　☐ économique.　　☐ compliquée.

■ LE PONT DU 1ER MAI

 piste 20

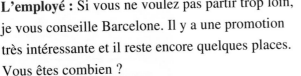

(Dans une agence de voyages.)

La cliente : Bonjour, je voudrais faire un petit voyage pour le pont du 1er Mai. Qu'est-ce que vous me proposez ?

L'employé : Si vous ne voulez pas partir trop loin, je vous conseille Barcelone. Il y a une promotion très intéressante et il reste encore quelques places. Vous êtes combien ?

La cliente : Nous sommes deux, mon mari et moi. On voudrait partir le vendredi 27 avril et rentrer le mardi 1er mai dans la soirée.

L'employé : Oui, l'avion décolle de Montpellier à 18 heures 35. Ça irait ?

La cliente : Oui, parfait. Vous faites aussi les réservations d'hôtel ?

L'employé : Bien sûr, quel genre d'hôtel cherchez-vous ?

La cliente : Oh, un petit hôtel, dans le centre-ville.

L'employé : Voilà, l'hôtel Paloma, trois étoiles. Il y a une belle terrasse avec une jolie vue.

La cliente : Hum, et ça fait combien, le vol aller-retour et les quatre nuits d'hôtel pour deux personnes ?

L'employé : Je regarde. Alors, il y a un forfait à 450 euros par personne. Ça inclut le vol aller-retour, le transfert de l'aéroport à l'hôtel et la chambre pour quatre nuits.

La cliente : Ça me paraît très raisonnable. Je vais en parler avec mon mari.

L'employé : Attention, il ne reste plus beaucoup de places, alors n'attendez pas trop longtemps !

La cliente : Je vous donne une réponse demain matin.

L'employé : Parfait, à demain donc. Voici ma carte. Appelez-moi !

◀ Écoutez et complétez le tableau avec les propositions de l'employé de l'agence de voyages.

Destination	
Date de départ	
Date de retour	
Nombre de personnes	
Lieu de départ	
Nom de l'hôtel	
Situation de l'hôtel	
Catégorie de l'hôtel	
Nombre de nuit	
Prix total par personne	

▶ VOIR AUSSI CHAPITRE 11 « LES VACANCES »

▶ *Voyager en voiture* (par la route)*, prendre la voiture*

une autoroute

le péage

un embouteillage

On prend la **route** ou l'**autoroute** *(f)*. On paye l'autoroute au **péage** *(m)* : c'est cher mais plus rapide.
Pour les grands départs et les grands retours de vacances ou de week-ends, il y a beaucoup
de **circulation** *(f)* : cela fait des **embouteillages** *(m)* (des **bouchons** *[m]*).
Quand on n'a pas de voiture, on peut faire un covoiturage/covoiturer : on partage la voiture d'un
particulier avec participation aux frais du trajet.

▶ *Voyager en train, prendre le train*

une voiture

un guichet

un contrôleur

un quai

UNE GARE

composter

On peut acheter un **billet aller simple** ou **aller-retour**. On achète les billets à la **gare**, au **guiche**t
où travaillent les employés de la **SNCF** (= Société nationale des chemins de fer) ou à un
distributeur automatique, ou encore dans une agence de voyages. On peut aussi **réserver** une
place sur Internet ou par téléphone.
On peut prendre un TGV (= un train très rapide), voyager en seconde (classe *[f]*) ou en première,
plus chère.
Si on voyage à plusieurs, en famille, en groupe, si on a plus de soixante ans, on peut avoir
une **réduction** (= payer moins cher). Sinon, on paie son billet **plein tarif.**
Dans la **voiture** (= le **wagon**), on peut choisir une place côté fenêtre ou côté couloir.
En France, toutes les voitures sont **non fumeur** (on ne peut pas fumer).
La nuit, pour bien dormir, on peut prendre une **couchette.**
Dans la journée, on peut manger ou boire quelque chose dans la voiture-bar.
Avant de monter dans le train, le passager doit **composter** (= valider dans une machine) son
billet. Pendant le trajet, le **contrôleur** peut passer pour contrôler (= demander) les billets.
Le train **part** de Rennes à 16 heures 10,
il **s'arrête** à Guigamp à 18 heures 05
et il **arrive** à Brest à 19 heures 25.

DÉPART	RENNES	16 H 10
ARRÊT	GUINGAMP	18 H 05
ARRIVÉE	BREST	19 H 25

▶ *Voyager en car ou en bus*
On prend les bus *(m)* ou les cars *(m)* à la **gare routière**.

▶ *Voyager en avion, prendre l'avion* (m)

On peut réserver et acheter une place dans une agence de voyages ou sur Internet.

On peut voyager en **classe économique** ou en **classe affaires** (plus chère).

Pour les vols *(m)* domestiques/sur une ligne intérieure (= à l'intérieur du pays), on doit arriver au moins une heure à l'avance à **l'aéroport** (m) pour **enregistrer les bagages** (m) (= l'enregistrement [m]) au guichet ; l'hôtesse donne au passager la carte d'**embarquement** *(m)*. On peut aussi s'enregistrer sur une borne à l'aéroport ou en ligne à l'avance.

Pour les vols internationaux, il faut arriver plus tôt pour passer le contrôle de sécurité et la **douane** : on doit présenter son **passeport** (m).

Le **décollage**, c'est quand l'avion s'envole **l'atterrissage** *(m)* (= l'arrivée de l'avion sur la **piste**).

Dans les avions, les **hôtesses** *(f)* **(de l'air)** et les **stewards** *(m)* font le service.

Pour les trajets en avion et en train, on peut avoir un train ou un vol **direct**, ou alors il faut **changer** (= prendre une **correspondance**).

| enregistrer les bagages | la douane | une hôtesse de l'air |

1. **Recherchez dans les dialogues les expressions qui ont un rapport avec les voyages en voiture, en train, en avion.**

1. Voyages en voiture	2. Voyages en train	3. Voyages en avion
_____	_____	_____

2. **Dans chaque série, barrez l'intrus et indiquez si les noms sont masculins (M) ou féminins (F).**

1. embouteillage _____ – route _____ – ~~guichet~~ _____ – circulation _____ – péage _____ – autoroute _____

2. enregistrement _____ – hôtesse _____ – passeport _____ – correspondance _____ – carte d'embarquement _____

3. 1re classe _____ – quai _____ – voiture-bar _____ – place assise _____ – couchette _____ – TGV _____

4. passager _____ – agence de voyages _____ – hôtesse _____ – contrôleur _____ – douanier _____ – employée de la SNCF _____ – steward _____

5. gare _____ – billet _____ – quai _____ – aéroport _____ – correspondance _____ – bouchon _____

6. enregistrer – embarquer – composter – réserver – passager – présenter son billet

3. Retrouvez le verbe ou le nom correspondant. Indiquez « un » ou « une ».

1. **un voyage**   voyager   7. un contrôleur   _____

2. _____   réserver   8. _____   s'arrêter

3. un enregistrement   _____   9. _____   changer

4. une arrivée   _____   10. un embarquement   _____

5. _____   partir   11. _____   voler

6. un décollage   _____   12. un atterrissage   _____

4. Mettez en relation les expressions de sens proche.

1. **prendre une correspondance**   a. sans changement

2. composter   b. payer l'autoroute

3. être dans les bouchons   c. passer au guichet d'embarquement

4. un trajet direct   d. présenter son passeport au douanier

5. passer au péage   e. valider son billet

6. passer à la douane   f. payer un billet moins cher

7. enregistrer ses bagages   g. être en première classe

8. voyager en classe affaires   h. **changer de train ou d'avion**

9. avoir une réduction   i. être arrêté dans un embouteillage

5. Complétez ces phrases avec les expressions suivantes.

douane – plein tarif – voiture-bar – domestique – passeport – classe affaires – **correspondance** – couchettes – composter

✎ Exemple : Le trajet n'est pas direct, on doit prendre une **correspondance** à Lyon.

1. Pour sortir d'Europe, il faut passer à la _____ et présenter son _____.

2. Avant de monter dans le train, les passager doivent _____ leur billet.

3. Quand on prend un vol _____, le passeport n'est pas obligatoire.

4. Pouvez-vous me dire où se trouve la _____, je voudrais manger quelque chose.

5. Je n'ai pas bien dormi, toutes les _____ étaient réservées et j'ai voyagé en place assise.

6. Le service est très agréable quand on vole en _____, mais c'est cher.

7. Dans les trains, mes enfants n'ont plus de réduction, ils paient _____.

6. **Activité.** Vous êtes à la gare et vous achetez un billet pour aller à Toulouse. Vous demandez deux places adulte en 2ᵉ classe ; vous demandez l'heure de départ, l'heure d'arrivée et le prix des deux billets.

DÉPART : LUNDI 13 OCTOBRE À 10 H 15	PARIS-MONTPARNASSE
ARRIVÉE : LUNDI 13 OCTOBRE À 17 H 20	TOULOUSE
2ᵉ CLASSE	
UN ALLER SIMPLE	
	PRIX : 42 EUROS

11. LES VACANCES

■ *LA FRANCE OU L'ÉTRANGER ?*

 piste **21**

(Au restaurant.)

Jacques : Alors, qu'est-ce que vous faites pendant les vacances ?

Paul : Cet été, nous louons une maison en Bretagne, les enfants veulent faire de la planche à voile. Vous pouvez venir nous voir, la maison est grande !

Catherine : C'est gentil mais on part trois semaines au Québec, tous les deux. Les filles ont choisi de passer les vacances sans nous, alors nous allons faire un voyage !

Madeleine : Vous partez en voyage organisé ?

Jacques : Non. Nous passons par une agence qui loue des camping-cars et nous allons circuler librement le long du Saint-Laurent. On va visiter les villes, les parcs nationaux et on va s'arrêter quelques jours chez nos amis à Baie Saint-Paul.

Paul : Super ! Tu vois, Madeleine, dans un an ou deux, on pourrait faire ça aux États-Unis, avec les garçons. Ils seront plus grands…

Madeleine : Et vos filles ?

Catherine : Delphine part à Barcelone chez des amis espagnols de la fac et Mathilde va en Grèce avec son copain. Ils vont faire du camping dans les îles. Et vous, qu'est-ce que vous allez faire en Bretagne ?

Madeleine : Moi, j'ai vraiment besoin de me reposer : cette année a été fatigante et je veux lire, dormir, prendre mon temps, peut-être peindre.

Jacques : Et toi, Paul ? Tu as des projets ?

Paul : Oui, je vais aider un copain à refaire sa maison. Tu sais bien que j'aime bricoler… Et puis je vais essayer de jouer au tennis ; il faut quand même faire un peu de sport !

Jacques : C'est vrai. Eh bien, nous, au Québec, on va faire de la randonnée.

🔊 **Écoutez et indiquez pour chaque personne la destination choisie, le mode d'hébergement et les activités prévues.**

	Destination	Hébergement	Activités
Paul et Madeleine			
Jacques et Catherine			
Delphine (fille de Catherine et Jacques)			
Mathilde (fille de Catherine et Jacques)			

■ *LE RÊVE...*

🔊 piste **22**

(*Dans l'autobus.*)

Mathilde : J'ai trouvé sur Internet des billets d'avion pas chers pour Athènes.

Alex : Et moi, j'ai trouvé un forfait jeunes bus + bateau + une nuit d'hôtel à Athènes pour 450 euros aller-retour.

Mathilde : Pas mal… moi, c'est plus cher. Mais on doit faire du camping, non ?

Alex : Si, mais pas dans Athènes…

et puis tu sais, dans les îles, on peut aussi dormir chez l'habitant : les chambres ne sont pas chères. Bon, alors je réserve ?

Il ne reste pas beaucoup de places.

Mathilde : D'accord. Tu sais, je suis super contente de partir en Grèce avec toi : le soleil, la mer, les petits villages…

Alex : Tu oublies les restos sympas…

et les gens sont adorables ! On va passer des vacances de rêve !

Mathilde : Eh ! c'est là qu'on descend, vite !

Alex : Ah oui, j'étais déjà en Grèce…

🔊 **Écoutez et répondez aux questions suivantes.**

1. Où veulent partir ces deux amis ?
_____

2. Vont-ils partir en avion ou en bus et en bateau ?
_____

3. Pourquoi ?
_____

4. Vont-ils dormir à l'hôtel ou chez l'habitant ?
_____

5. Pourquoi ont-ils envie d'aller en vacances dans ce pays ?
_____

▶ VOIR AUSSI CHAPITRES 10 « LES VOYAGES », 13 « LA MER ET L'EAU »

prendre des vacances *(f)* = prendre des **congés** *(m)*
    (légalement, en France, on a au moins 5 semaines de congés payés par an)
les **vacanciers** = les gens en vacances = *en été :* les **estivants**

▶ *Les destinations (f)*

■ Passer les vacances à la mer/au bord de la mer (dans une ville ou **station** *[f]* **balnéaire**),
à la montagne, à la campagne, à l'étranger (= dans un autre pays)

la mer — la montagne — la campagne

■ Partir seul/-e, en famille, avec des amis, en **voyage** *(m)* **organisé** (par une agence de voyages)

partir seul

partir en voyage organisé

ALFA TOUR

▶ *Les transports (m)*

partir en voiture, en camping-car *(m)*, en train, en bus ou en car, en bateau *(m)*, en avion

un camping-car — un avion — un bateau

une auberge de jeunesse

▶ *L'hébergement (m)*

prendre une chambre d'hôtel
dormir dans une **auberge de jeunesse**
passer la nuit (= dormir) chez l'habitant (**dans une chambre d'hôte**),
faire du camping *(m)* (= dormir sous une tente)
louer une maison = prendre une **location** (pour une semaine, un
mois) passer une semaine dans un club/un village de vacances

un camping

MON VILLAGE

▶ *Les activités*

■ faire du sport :
jouer au tennis, faire de la voile, des randonnées à pied ou à vélo…
■ faire du **tourisme** :
découvrir une région, visiter une ville, un village, un **château**

un village de vacances

■ se **reposer** :
se détendre, faire la grasse matinée (= dormir tard le matin), faire la sieste (= dormir l'après-midi), lire, peindre, dessiner, aller à la pêche (= attraper des poissons, des coquillages), aller à la plage, se baigner (= nager), prendre des bains *(m)* de soleil,
se promener, sortir le soir dans des restaurants, des cafés, des discothèques *(f)*, danser

■ faire un **stage** (= apprendre quelque chose) de musique, de théâtre, de cuisine, d'artisanat *(m)* (= des activités manuelles et souvent traditionnelles)
■ Les enfants peuvent partir en **colonie** *(f)*/ **camp** *(m)* de vacances (en groupes, avec des **moniteurs**/**monitrices** qui s'occupent d'eux).
■ Les gens qui n'aiment pas partir seuls en vacances préfèrent les **voyages organisés** ; ils peuvent faire un **circuit** pour découvrir une région ou un pays étranger, ou bien ils peuvent aller se reposer dans un **club**/village **de vacances** où tout est préparé pour eux ;
on y propose des **activités** sportives ou de détente. Ils peuvent aussi faire une **croisière** (= un voyage en bateau).

zzzzzz

se reposer

peindre

se baigner

un moniteur

prendre un bain
de soleil

aller à
la pêche

une colonie de vacances

1. Relevez dans les dialogues les expressions en relation avec les vacances et classez-les dans le tableau.

1. Transports	2. Destinations	3. Hébergements	4. Activités
_____	_____	_____	_____

2. Dans chaque série, barrez l'intrus.

✎ *Exemple : la mer – la montagne – l'estivant – la campagne – l'étranger*

1. un hôtel – une chambre d'hôte – une tente – un village – une auberge de jeunesse – une location – un camp
2. en avion – en train – en voiture – en ville – en camping-car – en bateau – à vélo – à pied
3. la sieste – du sport – un stage – du tourisme – la plage – une randonnée – de la voile
4. se baigner – se reposer – se promener – travailler – lire – se détendre – pêcher – peindre – bricoler – visiter

3. Donnez la signification des expressions soulignées.

✎ *Exemple : Il passe des vacances reposantes : → **Il se repose**.*

1. Nous passons des vacances sportives : → _____
2. Notre séjour est très culturel : → _____

3. C'est une région <u>touristique</u> : → _____

4. Il fait un stage <u>artistique</u> : → _____

5. Ils découvrent la cuisine <u>régionale</u> : → _____

4. Retrouvez les expressions de sens proche.

1. ***Ils prennent des congés.***
2. Ils vont dans une ville du bord de mer.
3. Ce sont des estivants.
4. Ils font du tourisme.
5. Ils descendent dans un hôtel.
6. Ils font du camping.
7. Ils dorment chez l'habitant.
8. Ils partent en voyage organisé.
9. Ils louent une maison.
10. Ils vont dans un club de vacances.

a. Ils partent dans une station balnéaire.
b. Ce sont des vacanciers.
c. Ils font un voyage organisé par une agence.
d. Ils vont dans un village de vacances.
e. Ils prennent une location.
f. Ils prennent une chambre chez des particuliers.
g. Ils dorment sous une tente.
h. Ils prennent une chambre d'hôtel.
i. Ils visitent la région.
j. ***Ils partent en vacances.***

5. Complétez les phrases par les expressions suivantes.

*discothèque – camping – étranger – croisière – circuit – voyage organisé – bain de soleil – **club de vacances***

1. Cet été, Paul et moi partons dans un ***club de vacances***. Pas de courses ni de cuisine à faire, Paul pourra jouer au tennis et je ferai de la voile. Le soir, nous irons danser en _____.

2. Marie aime voyager à _____ ; elle va faire un _____ en bus dans le sud du Maroc.

3. Mes parents n'aiment pas voyager seuls, ils partent toujours en _____.

4. Aujourd'hui, il fait très beau, j'ai envie d'aller à la plage pour prendre un _____.

5. Mes amis détestent descendre à l'hôtel ; ils aiment passer les vacances près de la nature ; c'est pour ça qu'ils font du _____.

6. Depuis que Monique a de l'argent, elle part souvent en _____ ; l'an dernier, elle est allée dans les îles grecques et cette année, elle fait le tour de la mer Noire.

6. Activité. Vous avez trouvé ces trois annonces pour les vacances ; vous devez partir avec un(e) ami(e). Vous discutez ensemble pour préparer vos vacances d'été.

TUNISIE
Une semaine à Djerba, club de vacances trois-étoiles au bord de la mer, sports nautiques, restaurants, bar, discothèque.
650 euros pension complète.

SICILE
Une semaine à la plage, hôtel confortable, possibilités d'excursions en bateau, demi-pension.
520 euros

BRETAGNE
À louer, maison bord de mer bien équipée, 2 chambres, salon, petit jardin
600 €/semaine

12. LA GÉOGRAPHIE et LE MONDE

■ *LE RÉCHAUFFEMENT DE LA PLANÈTE*

 piste **23**

(Après le dîner, le père d'Élodie lit le journal.)

Élodie : Qu'est-ce que c'est, le réchauffement de la planète ?

Le père : Ça veut dire qu'il fait de plus en plus chaud sur la Terre. Il y a de plus en plus de déserts et les glaces des pôles commencent à fondre. Donc le niveau des océans et des mers monte et un jour, les régions au bord de la mer seront recouvertes, elles seront sous l'eau.

Élodie : Mais alors, il n'y aura plus que la mer ?

Le père : Non ! Heureusement, la plupart des pays vont lutter contre la pollution qui provoque ce réchauffement. Mais il faut faire attention, même ici, à la maison : on ne doit pas gaspiller l'eau qui manque sérieusement dans certains pays, par exemple, en Afrique.

Élodie : Qu'est-ce que c'est, l'Afrique ?

Le père : Tu n'as pas encore appris ça à l'école ? C'est un continent. Sur la Terre, il y a plusieurs continents entourés d'eau. L'Afrique est en face de l'Europe et la France est…

Élodie : Mais si on habite à la montagne, il n'y a pas de problème, alors ?

Le père : Non, ne t'inquiète pas et va te coucher, il est tard maintenant !

Élodie : Bonne nuit, Papa.

Le père : Bonne nuit, Élodie, dors bien.

🔊 Écoutez et répondez aux questions suivantes.

1. Quelles conséquences du réchauffement climatique ce père présente-t-il à sa fille ?

_____

2. Selon lui, par quel moyen les pays peuvent-ils lutter contre ce problème ?

_____

3. Á la maison comment peut-on limiter ce problème ?

_____

4. Quelle est la solution proposée par la petite fille ?

_____

■ C'EST OÙ, ÇA ?

piste **24**

(Un dimanche, à la fin du déjeuner.)

Catherine : Cet été, j'irais bien au Monténégro. Il paraît que c'est magnifique.

Olivier : C'est où, ça ?

Catherine : C'est un petit État indépendant qui touche la Serbie, à la frontière nord de la Grèce et de l'Albanie. Il y a des montagnes, des lacs, la mer, des îles et de jolis endroits à visiter. Une de mes collègues y est allée avec son mari pour les vacances de Pâques… ils ont adoré !

Olivier : On y va comment, là-bas ?

Catherine : Par la route, mais c'est un peu long : il faut traverser le nord de l'Italie puis longer la côte croate. Ou alors, on peut aussi traverser l'Italie et ensuite prendre un bateau. C'est beaucoup plus rapide.

Olivier : Bon, pourquoi pas ! Je vais d'abord regarder une carte d'Europe parce que je ne vois pas très bien où c'est…

Catherine : Oui, mais pas maintenant. On a dit qu'on allait prendre le café chez Pierre et Nathalie, alors on y va !

🔊 **Écoutez et complétez le texte.**

Le Monténégro a des _____ avec la Serbie et l'Albanie, cet état n'est pas très loin de la Grèce. Les paysages sont variés avec des _____ des lacs et la _____ avec des _____ Pour y aller de France il faut _____ le nord de l'Italie puis _____ la côte croate ou bien prendre un bateau.

▶ VOIR AUSSI CHAPITRES 10 « LES VOYAGES », 13 « LA MER ET L'EAU », 14 « LE CIEL ET LA TERRE »

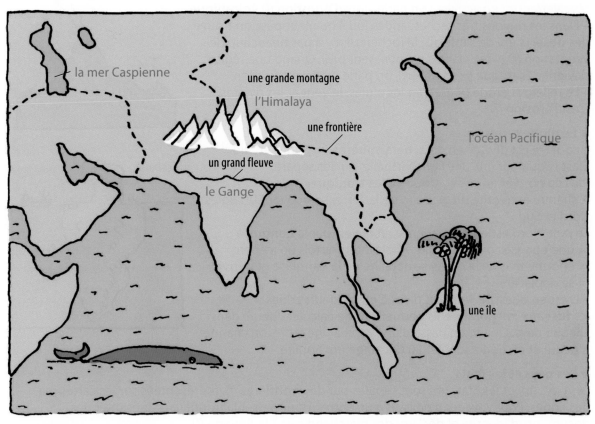

la mer Caspienne

une grande montagne
l'Himalaya

une frontière

un grand fleuve

le Gange

l'océan Pacifique

une île

▶ *La Terre*

■ Les océans et les mers

Sur la planète Terre, il y a quatre **océans** *(m)* (= de très grandes étendues d'eau salée) : les océans Arctique, Pacifique, Atlantique, Indien, et beaucoup de **mers** *(f)* (plus petites).

■ Les continents

Il y a aussi des terres : sept **continents** *(m)*, avec aussi des **îles**.
L'Asie est à l'est, en Orient. Les Asiatiques y habitent.
À l'opposé, à l'ouest, se trouve l'Europe. Les Européens y vivent.
Plus à l'ouest encore se trouve l'Amérique du Nord, séparée de l'Amérique du Sud (ou Amérique latine) par l'Amérique centrale. Les habitants sont les Américains du Nord et du Sud.
Au sud de l'Europe se trouve l'Afrique, habitée par les Africains.
Au sud de l'Asie se trouve l'Océanie, formée de plusieurs grandes îles, dont l'Australie.
L'Antarctique est à l'extrémité sud de la Terre, au **pôle** *(m)* Sud, en partie recouvert par des **glaces** *(f)*.

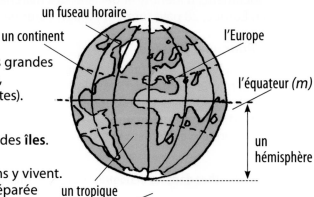

un fuseau horaire

un continent

l'Europe

l'équateur *(m)*

un hémisphère

un tropique

un pôle

les points cardinaux

■ Le relief

Les continents sont formés d'étendues *(f)* terrestres.
– Les **plaines** *(f)* et les **plateaux** *(m)* sont de grandes étendues plates. Une plaine est à faible altitude (= peu élevée au-dessus du niveau de la mer). Un plateau se trouve en altitude.
L'**altitude** *(f)* est la hauteur par rapport au niveau de la mer.
– Les **chaînes** *(f)* montagneuses (= plusieurs montagnes reliées entre elles) et les **massifs** *(m)* montagneux (= ensemble de montagnes plus ramassées) sont traversés par des **vallées** *(f)* creusées par des **cours** *(m)* d'eau (où coulent des **fleuves** *[m]*, des **rivières** *[f]* ou, plus petits, des **ruisseaux** *[m]*) et par des ravins *(m)* (= des vallées étroites et très profondes).
De grandes étendues d'eau douce (= non salée) sont des **lacs** *(m)*.

Certaines montagnes sont des volcans *(m)* : ils peuvent se réveiller/entrer en activité : on parle alors d'**éruption** *(f)* **volcanique**.
– Dans les régions très sèches, arides (où il ne pleut pas), on trouve des **déserts** *(m)* de sable ou de rochers. Il n'y a pas beaucoup de végétation *(f)* (= les plantes n'y poussent pas). Quand une région devient désertique (= un désert), on parle de désertification.
– Le relief est érodé (= usé) par les pluies, le vent et les rivières. C'est l'**érosion** *(f)*.

un volcan

un iceberg

■ **Le globe terrestre**
– La Terre est divisée en deux **hémisphères** *(m)*, Nord et Sud. C'est l'équateur *(m)*, une ligne virtuelle, qui les sépare. Plus au nord et au sud se trouvent les **tropiques** *(m)*. À chaque extrémité du globe (= de la Terre) se trouvent les pôles Nord et Sud.
Le pôle Nord est en permanence recouvert par la **banquise** (= une épaisse couche de glace flottante). Parfois un iceberg (= énorme masse de glace) se détache de la banquise et **dérive** (= se déplace).
– D'est en ouest, la Terre est divisée en plusieurs zones : les **fuseaux** *(m)* **horaires**. Ils permettent de calculer l'heure dans chaque pays. Quand on passe d'une zone à une autre, on change d'heure et on doit s'adapter au **décalage** *(m)* horaire.

■ **Les pays et les États**
Les pays *(m)* et les États *(m)* sont séparés par des **frontières** *(f)*, représentées sur les cartes par des lignes. Pour voyager d'un pays à un autre, il faut passer la frontière (= présenter des documents d'identité et déclarer des marchandises) à la **douane** *(f)*.
En Europe, 28 pays forment l'Union européenne.

▶ *Pour aller plus loin*

perdre le nord = perdre la tête, paniquer
se faire une montagne de quelque chose = exagérer l'importance de quelque chose
déplacer/soulever des montagnes = entreprendre de grandes actions
désert/-e = sans habitants
désertique = extrêmement sec, qui a les caractères du désert

1. **Recherchez dans les dialogues tous les termes géographiques.**

2. **Dans chaque série, barrez l'intrus et indiquez le genre par M ou F.**
   ✍ *Exemple : continent (M) – pays (M) – ~~banquise (F)~~ – île (F) – État (M)*
   1. frontière _____ – tropique _____ – pôle _____ – équateur _____ – fuseau horaire _____
   2. montagne _____ – colline _____ – volcan _____ – plaine _____ – massif _____ – chaîne _____
   3. lac _____ – rivière _____ – fleuve _____ – colline _____ – ruisseau _____ – mer _____ – océan _____

3. **Complétez ces phrases avec les mots suivants à la forme correcte.**
   douane – désert – île – montagne – hémisphère – fleuve – lac – vallée
   ✍ *Exemple : Quand il fait nuit dans l'hémisphère Nord, il fait jour en Australie.*
   1. En général, quand on passe une frontière, il faut présenter des documents d'identité à la _____ .
   2. L'été, on aime bien aller à la _____ ; le climat est frais et c'est agréable pour faire de longues randonnées. On y trouve aussi des _____ dont l'eau est glacée mais très claire.

3. Dans le _____, il n'y a pas beaucoup d'eau car il pleut rarement.

4. La Loire est un grand _____ où les bateaux ne peuvent pas naviguer ; sur les petites collines au-dessus de sa _____, on cultive la vigne.

5. La Sardaigne est une grande _____ en Méditerranée, près de la Corse.

4. **Retrouvez les définitions pour chacun de ces termes.**

1. *une éruption volcanique*
2. un ravin
3. la dérive de la banquise
4. la désertification d'une zone
5. le décalage horaire
6. un cours d'eau
7. l'érosion d'un massif

a. Les glaces polaires se détachent et se déplacent.
b. De l'eau coule.
c. Changer de fuseau horaire.
d. Une région devient très sèche et désertique.
e. Le vent et la pluie ont érodé la montagne.
f. *Un volcan se réveille.*
g. Une vallée très profonde.

5. **Complétez les phrases avec ces verbes à la forme correcte.**

fondre – se réchauffer – geler – éroder – dériver – se réveiller – *couler*

✎ Exemple : *Les montagnes sont traversées par des vallées où **coulent** des rivières.*

1. Quand le climat _____, le niveau de la mer monte.
2. Aux pôles, comme la température est très basse, la mer _____ et forme la banquise ; parfois, des blocs se détachent de la banquise et _____.
3. La neige _____ au printemps et le niveau des rivières monte.
4. Quand un volcan _____, les villages des environs peuvent être détruits.
5. Dans le désert, les vents _____ les reliefs et leur donnent des formes étranges.

6. **Classez ces éléments dans les grandes catégories : la mer, l'eau douce, le relief.**

a. *une rivière*
b. une vallée
c. une plaine
d. une colline
e. la côte
f. une île
g. une montagne
h. la banquise
i. un volcan
j. un lac
k. un désert
l. un ravin
m. un fleuve
n. un torrent

1. La mer	2. L'eau douce	3. Le relief
_____	a. une rivière	_____
_____	_____	_____
_____	_____	_____

7. **Activité. Décrivez à votre voisin(e) un paysage que vous aimez beaucoup et donnez vos raisons. Répondez à ses questions puis demandez-lui dans quel paysage il/elle se sent le mieux.**

13. LA MER et L'EAU

■ *UNE PARTIE DE PÊCHE*

 piste 25

Louis : Qu'est-ce que tu fais cet après-midi ?

Germain : Je vais à la pêche, tu veux venir avec moi ?

Louis : Pourquoi pas ! Tu vas pêcher où, au petit lac ?

Germain : Non, je vais remonter le torrent un peu après la cascade. Là-bas, il y a des trous profonds avec de gros poissons. Ça te dit ?

Louis : D'accord ! Je prépare mon matériel et on se retrouve au pont ?

Germain : C'est bon. Prends un chapeau, il va faire chaud. Et de l'eau, ou autre chose à boire… Allez, à tout à l'heure !

🔊 Écoutez et répondez aux questions suivantes.

1. Quand aura lieu la partie de pêche ?

_____

2. Où vont-ils aller ?

_____

3. Quel genre de poissons on peut attraper ?

_____

4. Où a lieu le rendez-vous ?

_____

5. Que faut-il emporter en plus du matériel de pêche ?

_____

▪ *APRÈS-MIDI À LA PLAGE*

 piste **26**

> **La mère :** Les enfants, allez mettre vos maillots de bain, on va à la plage.
>
> **Le père :** Et n'oubliez pas les pelles et les seaux, on va faire un gros château de sable.
>
> *(Un quart d'heure après, à la plage.)*
>
> **Alex :** Maman, j'ai faim !
>
> **La mère :** Non Alex, ce n'est pas l'heure de goûter, allez d'abord vous baigner avec papa !
>
> **Marion :** Mais maman, l'eau est loin et il y a des grosses vagues !
>
> **Le père :** Oui, c'est normal, c'est marée basse. Mais la mer va bientôt remonter. En attendant, on va chercher des crabes et ramasser des coquillages. On en aura besoin pour décorer le château, tout à l'heure.
>
> **La mère :** Tiens, quelle bonne idée ! Allez faire votre château de sable et moi, je vais lire tranquillement mon magazine.
>
> *(Trois quart d'heure plus tard.)*
>
> **Le père :** Regarde un peu ce château, magnifique non ?
>
> **La mère :** Superbe ! Mais maintenant, allez vous baigner, vous êtes couverts de sable !
>
> **Le père :** Bon, allez les enfants, on y va !
>
> *(Encore un quart d'heure plus tard.)*
>
> **Alex :** C'était super ! On a bien sauté dans les vagues mais elles étaient tellement fortes qu'on ne pouvait pas nager.
>
> **Marion :** Maman, j'ai froid, une serviette s'il te plaît !
>
> **La mère :** Oh, les serviettes de bain… J'ai pris le goûter, la crème solaire, une bouteille d'eau mais j'ai oublié les serviettes ! Je suis désolée.
>
> **Le père :** On va faire la course et, pour la peine, Odile, tu vas courir avec nous jusqu'au rocher, comme ça, les enfants n'auront pas froid !

◀€ Écoutez et répondez aux questions suivantes.

1. Entourez le matériel emporté par la famille pour aller à la plage :

les maillots de bain – les bonnets de bain – les serviettes de bain – les seaux – les pelles – le goûter des enfants – la crème solaire – un magazine

2. Reliez les activités et les membres de la famille.

Sauter dans les vagues

Ramasser des coquillages   La mère

Lire

Chercher des crabes   Le père

Faire un château de sable

Se baigner   Les enfants

Goûter

Courir sur la plage

3. Pourquoi la mer est-elle très loin de la plage ? Est-elle calme ? Pourquoi ?

_____

▶ VOIR AUSSI CHAPITRES 10 « LES VOYAGES », 12 « LA GÉOGRAPHIE ET LE MONDE », 14 « LE CIEL ET LA TERRE ».

▶ *L'eau douce et les cours d'eau*

Une **source** = l'endroit où de l'eau sort de la terre, pour devenir un **cours d'eau** : du plus petit au plus grand, un **ruisseau** (*pluriel* : des ruisseaux), une **rivière**, un **fleuve**.

L'eau coule de sa source vers la mer : c'est le sens du **courant** (*m*).

Un **canal** (*pluriel* : des canaux) est construit par l'homme pour permettre le trafic des bateaux ou pour apporter de l'eau dans des régions sèches.

Un **barrage** = un très gros mur pour faire une retenue d'eau entre deux montagnes. Il forme un **lac** artificiel.

Le bord d'un cours d'eau s'appelle la **berge**/la **rive**.

À la montagne, un ruisseau ou une rivière avec beaucoup de courant s'appelle un **torrent**.

Quand l'eau tombe de haut, ça s'appelle une **cascade** ou une **chute d'eau**.

Les eaux « dormantes » (= sans courant) forment un bassin (artificiel, pour décorer), une mare (petite, souvent près d'une ferme), un **étang** ou un **lac** (plus grand).

▶ *L'eau salée : mers (f) et océans (m)*

L'océan est beaucoup plus grand que la mer.

un phare

une falaise

une île

un poisson

des vagues (f)

une plage

des rochers (m)

un coquillage

– Sur la **plage**, il y a du **sable** (en général, blanc et fin) ou des **galets** (*m*) (cailloux ronds) ; on peut y trouver des coquillages (*m*).

La mer descend jusqu'à la **marée basse**. Puis elle monte jusqu'à la **marée haute**.

– Dans la mer, il y a des **algues** (*f*) (végétales), des poissons (*m*) et d'autres animaux comme les **crustacés** (*m*), par exemple, les crabes (*m*).

– Sur la mer, quand il y a du vent, des **vagues** (*f*) se forment. **Au large**, loin des **côtes**, quand la mer est forte, il y a de la **houle** (= de très grosses vagues). On dit que la mer est **démontée** (calme, plate).

– Au bord de la mer ou en pleine mer, il y a des **phares** (*m*) pour guider les bateaux.

Sur la côte, il y a des **ports** (*m*) où les bateaux de pêche ou de plaisance (pour les loisirs) peuvent s'arrêter.

▶ *Les bateaux*

Les bateaux (*m*) peuvent **naviguer** (circuler) sur les voies (*f*) navigables.

Sur les grands fleuves, des bateaux peuvent transporter des marchandises : ce sont des **péniches** (*f*).

Dans certaines villes touristiques, des **bateaux-mouches** (*m*) promènent les touristes.

Quand il n'y a pas de **pont** (*m*) sur une rivière ou un fleuve, il faut prendre un **bac** pour traverser.

une rame

une barque

un bac

un cargo

Sur la mer, les gros bateaux de commerce s'appellent des **cargos** *(m)*. Les bateaux de croisière pour transporter des passagers sont des **paquebots** *(m)*. Dans les petits ports, il y a aussi des bateaux de pêche (pour les pêcheurs) et des **bateaux de plaisance** à voile *(f)* ou à moteur *(m)* (pour les loisirs).
Un tout petit bateau avec des rames *(f)* s'appelle une **barque**.

▶ *Les hommes de la mer*
Un **marin** travaille ou vit sur un bateau. Sur une péniche, c'est un **marinier**.
Un **matelot** est un marin sans qualification.
Un **officier** de (la) marine est un marin gradé qui a fait une école navale.
Un **plaisancier** fait du bateau de plaisance, à voile ou à moteur (pour le plaisir).
Un **pêcheur** vit de la pêche ou pêche pour le plaisir.

▶ *Les sports nautiques (sur l'eau)*
Faire du ski nautique, de la voile, de la planche à voile, du surf, de la plongée sous-marine, plonger

▶ *Les vêtements et les équipements*

un maillot de bain — une combinaison de plongée — une canne à pêche — un filet de pêche — des bottes *(f)* — un ciré

▶ *Les actions*
naviguer (se déplacer en bateau)
nager (faire de la natation)
prendre un bain de mer, se baigner, prendre un bain de soleil, bronzer
ramasser, chercher des coquillages *(m)*, des crabes *(m)*, des crevettes *(f)*
pêcher, aller à la pêche

▶ *Pour aller plus loin*
être heureux comme un poisson dans l'eau
= être très heureux
Ce n'est pas la mer à boire
= ce n'est pas très difficile.
C'est une mer d'huile
= la mer est plate, très calme.
Au restaurant, les coquillages et les crustacés s'appellent « les fruits de mer ».

1. Relevez dans les dialogues les noms qui désignent les lieux au bord de l'eau et les verbes d'action correspondants.

1. Lieux	2. Verbes

2. Classez du plus petit au plus grand.
🖉 *Exemple :* **3** *de la houle* – **2** *de petites vagues* – **1** *la mer est plate* – **4** *la mer est démontée*
1. _____ un ruisseau – _____ un océan – _____ un fleuve – _____ une source – _____ une mer
2. _____ un lac – _____ une mare – _____ un bassin – _____ un étang
3. _____ un torrent – _____ un océan – _____ un canal – _____ un fleuve – _____ une rivière

3. Classez ces activités nautiques selon le lieu où elles peuvent se pratiquer
(parfois, plusieurs possibilités).

1. Au ruisseau/à la rivière	2. À la mer
a. pêcher – _____ _____	*a. pêcher –* _____ _____

a. pêcher	g. faire une croisière
b. nager	h. faire une promenade en bateau-mouche
c. faire de la voile	i. faire du ski nautique
d. faire des châteaux de sable	j. sauter dans les vagues
e. ramasser des coquillages	k. visiter un phare
f. faire du surf	l. prendre un bac

4. Retrouvez les expressions de sens proche.

1. *C'est marée basse.*	a. C'est difficile de marcher sur la plage.
2. C'est une plage de galets.	b. Il n'y a pas de pont pour traverser.
3. La plage est toute verte.	c. Il y a une retenue d'eau.
4. Il faut prendre un bac.	d. Bientôt, ce sera la marée haute.
5. Il y a un barrage.	e. Il n'y a pas de vagues.
6. La mer est démontée.	f. *La mer est très loin.*
7. Il y a une cascade.	g. Il y a une forte houle.
8. C'est une mer d'huile.	h. Il y a une chute d'eau.
9. La mer remonte.	i. Il y a beaucoup d'algues sur la plage.

5. Retrouvez le terme correspondant à chacune de ces définitions.

*un phare – un cargo – **un port de plaisance** – une péniche – un officier de marine – un bateau-mouche – un matelot*

✎ *Exemple : un port pour les bateaux de loisirs :* → *un **port de plaisance**.*

1. Un bateau qui transporte des marchandises sur la mer : → _____
2. Un bateau qui transporte des touristes pour une promenade sur un fleuve : → _____
3. Un bateau qui transporte des marchandises sur un fleuve : → _____
4. Un signal lumineux pour guider les bateaux en mer : → _____
5. Un marin sans qualification : → _____
6. Un homme qui a fait ses études dans la marine : → _____

6. **Activités. – Vous êtes en montagne avec des amis ; il y a un torrent et des cascades dans le voisinage. Organisez votre prochain dimanche. Vous préparez l'activité deux par deux et chacun de vous doit proposer une ou deux activités.**

– Votre ami(e) veut vous emmener faire de la voile mais vous avez un peu peur : le vent est fort et il y a de grosses vagues. Proposez-lui une ou deux autres activités.

1. Complétez ces phrases avec les expressions suivantes à la forme correcte.

informaticien – abonnement – traitement de texte – cybercafé – toile – mémoire – **connexion** *– portable – navigateur*

1. La **connexion** à Internet n'est pas de bonne qualité. Tu devrais aller dans le _____ en bas de chez toi.

2. Je ne peux pas me connecter à Internet, le _____ est introuvable.

3. Quand tu as terminé la saisie sur ton _____, n'oublie pas de mettre en _____ sinon tu risques de tout perdre.

4. Pour Internet, j'ai trouvé une formule d'_____ très intéressante : 25 euros par mois.

5. Les jeunes passent beaucoup de leur temps à surfer sur la _____ ; c'est vrai qu'on y trouve des informations précieuses.

6. Le DRH s'est décidé à recruter un _____ pour s'occuper des ordinateurs de l'entreprise.

2. Sophie veut envoyer un mail à une amie. Remettez ces étapes dans l'ordre.

_____ a. Elle compose son code de messagerie.

_____ b. Elle reçoit un avis pour l'informer de l'expédition.

_____ c. Elle allume son ordinateur.

_____ d. Elle clique sur la souris pour l'envoyer.

_____ e. Elle ouvre son fournisseur d'accès à Internet.

_____ f. Elle saisit sur les touches du clavier l'adresse de son amie, l'objet de son message et son texte.

3. Complétez ces phrases avec ces expressions à la forme correcte.

passeport – siège – bagages – gare – carte d'embarquement – **douane** *– décollage – péage – couchette – hôtesse – correspondance – embouteillage – départ – atterrissage – arrivée – guichet*

1. Pour passez à la **douane**, vous devez présenter votre _____ et votre carte d'embarquement.

2. Au _____ d'enregistrement de la compagnie aérienne sur laquelle vous allez voler, une _____ enregistrera vos _____ ; elle vous attribuera un numéro de _____ et vous remettra votre _____.

3. Nous prenons le train pour Montpellier : le _____ a lieu de la gare de Lyon à 16h18 et l'_____ est prévue à 19h35. Les Dubois viendront nous chercher à la _____ .

4. J'aurais bien aimé voyager de nuit, mais comme il y a une _____ à Grenoble, je ne peux pas réserver de _____, alors je vais prendre un train direct de jour.

5. L'avion a eu du retard au _____ à cause du trafic aérien et l'_____ a été difficile, les pistes étant enneigées.

6. Les retours sur Paris seront difficiles. On prévoit des _____, notamment aux _____ .

4. Complétez ces phrases avec les expressions suivantes.

*club de vacances – tourisme – chambre d'hôte – **stage** – colonie – camping – croisière – circuit – location – estivants*

1. La région des pays de Loire propose des séjours originaux : **stage** d'initiation à l'écologie avec hébergement dans des _____ . Voilà l'occasion de passer des vacances intéressantes.

2. Cette année, nous envoyons les enfants en _____ de vacances : ils vont faire une initiation à la voile et nous partirons une semaine au Maroc ; nous hésitons entre un _____ pour nous reposer et un _____ pour découvrir le Sud.

3. Cet été, les _____ trouveront sur notre site Internet une liste des _____ et des terrains de _____ sur La Baule. Ils auront ainsi plus de facilité à se loger.

4. Cet hiver, ma mère a décidé de faire une _____ en Méditerranée. Elle n'est plus toute jeune mais elle aime toujours faire du _____ .

5. Projets de vacances : proposez pour chaque personne ou groupe une semaine de vacances au début de l'été. Précisez le lieu, le moyen de transport, le mode d'hébergement, les activités sur place.

✎ *Exemple : Mme Dufour, 43ans, professeur d'histoire, aime les séjours culturels à l'étranger.*

→ **Je conseille à Mme Dufour une semaine de croisière sur le Nil en voyage organisé. Il y aura au maximum 15 personnes dans le groupe. Elle voyagera jusqu'au Caire en avion. Ensuite elle embarquera sur le bateau, très confortable, où elle aura une cabine individuelle pour dormir. Un guide lui fera découvrir les sites antiques.**

1. Marie et Laurent Mallet, 31 ans, aiment le soleil et les sports nautiques. Ils gagnent bien leur vie. →

2. M. et Mme Variche et leurs deux enfants, 6 et 8 ans. Ils aiment les promenades, le vélo et l'équitation. Ils n'ont pas de gros revenus. →

3. Antoine et Claire, étudiants, aiment les voyages, l'aventure. Ils ont un petit budget. →

4. Nicolas et Marjorie, 25 ans, aiment la montagne, les randonnées à pied, la nature et la vie simple. →

6. Complétez les phrases suivantes avec ces expressions à la forme correcte.

*pays – **continent** – frontière – île – colline – pôle – désert – volcan – **océan***

✎ *Exemple : Le nord de l'**océan** Atlantique sépare deux **continents** : l'Europe et l'Amérique.*

1. La France a des _____ communes avec sept États voisins.

2. Mes parents ont traversé une partie du _____ du Sahara et ils ont croisé des nomades.

3. En 2013, 28 _____ se sont unis pour former l'Union européenne.

4. Louis rêve de passer ses vacances au _____ Nord ou au Groenland pour voir des ours blancs et des pingouins en liberté.

5. La Corse est une grande _____ qui a longtemps appartenu à l'Italie.

6. Dans le Massif central, il y a de nombreux _____ mais ils ne sont plus en activité.

7. Montmartre est la _____ la plus célèbre de Paris, mais il y en a d'autres.

14. LE CIEL et LA TERRE

■ *LE PASSAGE DE LA COMÈTE*

 piste **27**

(Un soir, sur la colline.)

François : Regarde, le soleil vient de se coucher, le ciel est tout rose, pas un nuage, il y a juste un peu de vent. Nous avons de la chance. Tu as pris tes jumelles ?

Gérard : Non, je les ai oubliées mais la comète doit passer vers minuit ; on a le temps de repasser à la maison et de mettre un pull, la nuit va être fraîche.

François : Oui, tu as raison. Et puis, Pauline viendra peut-être avec nous !

(Quatre heures plus tard.)

Pauline : Je peux regarder avec les jumelles ? Oh, il y a plein d'étoiles et là, je viens de voir une étoile filante, ou alors c'est la comète…

Gérard : Non, probablement une étoile filante, la comète est beaucoup plus grosse. Mais regarde, là-bas, cette grosse étoile, à côté de la Lune, c'est l'étoile du Berger. C'est la première qui apparaît la nuit.

Pauline : Ah oui ! je la vois !… et Saturne et Jupiter, ils sont où ?

François : Ce sont des planètes qu'on ne voit pas comme ça. Il faut aller dans un observatoire pour les voir.

Pauline : Ah, dommage ! On la voit quand, la comète ? J'ai froid.

François : Écoute Pauline, je t'avais dit de mettre un blouson. C'est vrai que le vent se lève.

Gérard : Et les nuages arrivent…

Pauline : Je viens de voir un éclair, là-bas. L'orage approche.

François : Allez, on rentre. Il est une heure du matin et on n'a rien vu… La comète ne nous a pas attendus !

◀᠄ Écoutez et répondez aux questions suivantes.

1. Á quel moment se passe le début du dialogue ?

_____

2. Qu'est-ce qu'ils attendent de voir ?

_____

3. Pourquoi ce couple doit-il retourner à la maison ?

_____

4. Qu'est-ce que la fille voit dans les jumelles ?

_____

5. Quelle est la particularité de l'étoile du Berger ?

_____

6. Á quelle heure rentrent-ils à la maison ? Pourquoi ?

_____

7. Ont-ils vu la comète ?

_____

■ *MER OU MONTAGNE ?*

 piste **28**

> **Éric :** Où est-ce que tu aimerais passer tes vieux jours ?
>
> **Delphine :** Quelle drôle de question, mais je te réponds quand même : au bord de la mer, près d'une crique ou encore mieux sur une île. J'irais à la plage, je me baignerais dans les vagues, avec toi, bien sûr ! Et toi ?
>
> **Éric :** Oh, moi je voudrais aller vivre à la montagne. J'adore les longues marches sur les sentiers, le long des torrents, me baigner dans les lacs. Tu n'aimerais pas ?
>
> **Delphine :** Non, pas vraiment. Il fait froid l'hiver et je n'aime pas la neige… et un petit village à la campagne, pas trop loin de la mer, par exemple dans l'arrière-pays niçois ? Il y a des collines, des rivières, et la côte n'est pas très loin !
>
> **Éric :** Non, j'ai une meilleure idée : la Corse, c'est idéal. Il y a la mer, la montagne et la campagne.
>
> **Delphine :** Oui, pourquoi pas, mais on a encore le temps de penser à notre retraite !

des vagues *(f)*   une crique

◀ Écoutez et remplissez la grille.

	Éric	**Delphine**
Lieu préféré		
Activités		
Autre proposition		

▶ VOIR AUSSI CHAPITRES 12 « LA GÉOGRAPHIE ET LE MONDE », 13 « LA MER ET L'EAU ».

▶ *Le ciel*

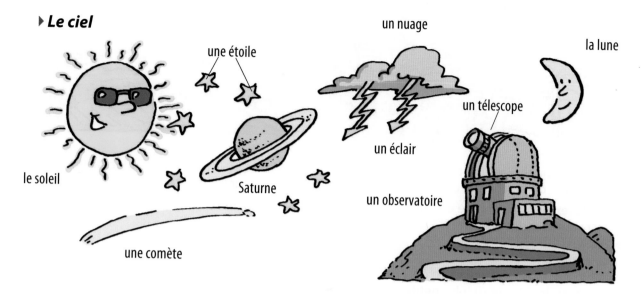

Quand le temps est clair, la journée est **ensoleillée**, la nuit est **étoilée**.
un **observatoire** = un lieu équipé d'un télescope, pour regarder les **étoiles** *(f)* et les **astres** *(m)*
(= les corps célestes naturels)
un/-e **astronome** = un/-e scientifique qui observe les astres
des **jumelles** *(f)* = des lunettes très grossissantes pour voir de loin
une **étoile filante** = une étoile, qui se déplace très vite dans le ciel (qui file)
une **comète** = une sorte d'étoile avec une queue
le lever du soleil, le soleil se lève le coucher du soleil, le soleil se couche
le lever du jour/l'**aube** *(f)*, le jour se lève la tombée de la nuit/le **crépuscule**, la nuit tombe

▶ *La terre*

■ La montagne

■ La mer

la côte, une falaise (= un grand mur naturel au bord de la mer), une dune (= une colline de sable),
une plage, une île, une crique, une vague

▪ La campagne

un village, une rivière, une colline (= une petite montagne), une plaine (= une étendue plate)
un pré (avec des vaches ou des moutons), un champ (cultivé, pour l'agriculture)

▪ Un **désert** est une grande étendue de sable *(m)* ou de rochers *(m)*. C'est en général très sec.
On y circule sur des pistes.

▪ **Les sols**
la terre (pour les cultures)
le sable (sur la plage ou dans un désert) ; un sol **sablonneux**
les rochers, les pierres *(f)* (plus petites) en granite *(m)*, en grès *(m)*, en calcaire *(m)* ;
un sol **rocheux**, une côte rocheuse

▸ Les catastrophes

un tremblement de terre = un **séisme** (quand la
   terre tremble/le sol bouge)
un **raz de marée** = un tsunami (quand d'énormes
   vagues recouvrent la côte)
une **éruption volcanique** (quand un volcan
   se réveille)
un **cyclone** = un **ouragan** (= un vent très violent
   qui détruit tout sur son passage)
une **inondation** (quand il pleut beaucoup,
   ou quand une retenue d'eau lâche ; la terre est
   alors recouverte d'eau)

▸ Pour aller plus loin

dormir à la belle étoile = dormir dehors
tirer des plans sur la comète = faire des
   projets chimériques, rêver
être dans la lune = être étourdi, rêveur
avoir les pieds sur terre = être réaliste
être terre à terre = être matérialiste et sans
   poésie

---

1. **Relevez dans les dialogues les expressions en rapport avec le ciel et la terre.**

1. Le ciel	**2. La terre**
_____	_____

2. **Dans chaque série, barrez l'intrus et indiquez le genre des noms.**

   ✎ *Exemple : observatoire **(M)** – jumelles **(F)** – ~~astre~~ **(M)** – télescope **(M)** – longue vue **(F)***

   1. étoile _____ – planète _____ – lune _____ – cyclone _____ – comète _____ – soleil _____ – astre _____

   2. colline _____ – montagne _____ – volcan _____ – plaine _____ – dune _____ – falaise _____

   3. inondation _____ – pré _____ – tremblement de terre _____ – raz de marée _____
      – éruption volcanique _____ – ouragan _____

   4. aube _____ – coucher du soleil _____ – crépuscule _____ – étoile _____ – lever du jour _____
      – tombée de la nuit _____

3. Mettez en relation les expressions de sens proche.

1. *une nuit étoilée*
2. une journée ensoleillée
3. une éruption volcanique
4. un raz de marée
5. la côte
6. un torrent
7. une dune
8. une colline
9. une falaise
10. un pré
11. un champ
12. le crépuscule
13. l'aube

a. Un volcan se réveille.
b. Juste après le coucher du soleil.
c. Un mur naturel au bord de la mer.
d. Une colline de sable.
e. Un terrain cultivé.
f. Une petite rivière en montagne.
g. Le bord de mer.
h. Un terrain non cultivé pour nourrir les animaux.
i. Juste avant le lever du soleil.
j. Une petite montagne.
k. Des vagues énormes recouvrent la côte.
l. Il y a beaucoup de soleil.
m. *On voit beaucoup d'étoiles.*

4. Complétez ces phrases avec les expressions suivantes à la forme correcte.

côte – désert – télescope – pré – sable – torrent – volcan – observatoire – colline – champ – dune – plaine – sentier – lune – crique – **tremblement**

✎ *Exemple : Il y a quelques années, un **tremblement** de terre a détruit une partie de la ville, mais les quartiers endommagés ont été reconstruits.*

1. Quand je suis à la montagne, j'aime faire des marches sur les _____ et pêcher dans les _____.

2. Dans le centre de la France, l'agriculture est encore importante : il y a beaucoup de _____ de blé et des _____ pour les vaches.

3. En Bretagne, la _____ est rocheuse et il y a beaucoup de _____ où les bateaux s'arrêtent pour pêcher mais il y a aussi de grandes plages de _____.

4. Ce soir, les enfants veulent aller à l' _____ pour regarder les étoiles avec le _____. Ils aimeraient bien aussi observer la _____ de près.

5. Dans le _____, on se perd facilement sur les pistes entre les _____ de sable.

6. Nous avons fait une longue promenade, nous sommes montés au sommet d'un _____ heureusement, il ne s'est pas réveillé !

7. Je n'aime pas beaucoup ces grandes _____ à perte de vue ; pour moi c'est triste et monotone. Je préfère un paysage avec des _____ ou des petites montagnes.

5. Activité. Vous êtes journaliste pour une radio locale. Une catastrophe (inondation, tremblement de terre, tsunami…) ou un fait exceptionnel (éclipse solaire, chute d'un météore) vient d'avoir lieu dans votre région. Vous interrogez votre voisin(e) qui a été témoin. Demandez-lui de décrire les faits, les lieux.

15. LES ANIMAUX

■ *UN CHIEN OU UN CHAT ?*

 piste **29**

Louis : Maman, pourquoi on n'a pas de chien, comme Léo ? Il vient d'en avoir un pour son anniversaire.

Marine : Oh, oui, et moi j'aimerais bien avoir un petit chat comme celui de Juliette. Il est trop mignon…

La mère : Non les enfants, ce n'est pas possible : dans la journée, il n'y a personne à la maison et les animaux sont malheureux dans un appartement. Et puis, un chien, il faut le sortir plusieurs fois par jour !

Marine : Mais un chat, ça mange, ça joue et ça dort ! C'est tout.

La mère : Et quand on part en vacances, qui viendra s'en occuper ?... Non, il n'en est pas question !

Louis : Mais alors, on pourrait avoir un hamster ? C'est petit, ça vit dans une cage, comme un oiseau.

Marine : Ou bien on pourrait avoir un poisson, ou une tortue…

La mère : Et pourquoi pas un serpent ou une souris… Les enfants, ça suffit. Cet été, quand on ira chez vos grands-parents, vous pourrez jouer avec le lapin et les poules. Et puis vous irez à la ferme à côté, voir les cochons, le cheval et les vaches. C'est beaucoup plus intéressant !

Louis : Tu dis ça parce que tu n'aimes pas les animaux…

La mère : C'est vrai, je n'aime pas les animaux enfermés. Il faut les laisser en liberté !

un oiseau — une cage — une tortue — un poisson — un hamster — une souris

◀ Écoutez et répondez aux questions suivantes.

1. Notez les propositions des enfants, les avantages et les inconvénients de ces animaux.

	Louis	**Marine**	**Raison du refus de la mère**
Animal			
Avantage			
Inconvénients			

2. Où les enfants iront-ils passer leurs vacances d'été ?

_____

3. Quels animaux pourront-ils y voir ?

_____

■ DANS UNE ANIMALERIE

 piste **30**

La cliente : Ce chiot est très beau. Il est de quelle race ?

La vendeuse : C'est un cocker américain.

La cliente : Il va beaucoup grandir ? Je dis ça parce que j'habite en ville, dans un studio.

La vendeuse : Non, il ne deviendra pas très grand. C'est un chien qui peut vivre en appartement et qui aime beaucoup la compagnie.

La cliente : Il demande beaucoup de soins ?

La vendeuse : Il faut le sortir, bien sûr, mais c'est un animal tranquille. Seulement, il faut le brosser régulièrement car ses poils sont longs, mais ce n'est pas nécessaire de le faire toiletter très souvent.

La cliente : Il a quel âge ?

La vendeuse : Trois mois. Il est en excellente santé, le vétérinaire l'a vu avant-hier. Regardez son pedigree.

La cliente : Il fait quel prix ?

La vendeuse : 550 euros.

La cliente : Bon, merci, je vais réfléchir. Je reviendrai vous voir samedi prochain avec une amie qui connaît bien les chiens.

◀ Écoutez et remplissez la fiche de ce jeune chien.

Race : _____   Taille adulte : _____

Soins particuliers _____

Caractéristiques : _____

Âge : _____   Prix : _____

État de santé : _____

le **mâle** (il), la **femelle** (elle), le **petit** (= le bébé, il)

▶ *Les animaux domestiques*

■ **Les animaux d'appartement ou de compagnie** *(f)*

le **chat**/la chatte (le chaton), le **chien**/la chienne (le chiot) ; un **oiseau** (dans une cage), un **poisson**, une **tortue** (dans un aquarium ou un bassin) ; un **hamster**, une **souris** (dans une cage)

■ **Quelques animaux de la ferme ou d'élevage** *(m)*

On élève généralement les animaux pour l'alimentation.

le **mouton**/la brebis (un agneau)   le bouc/la **chèvre** (le chevreau)   l'**âne**/l'ânesse (un ânon)   le **cheval**/ la jument (le poulain)   le **bœuf**/la **vache** (le veau)

le **lapin**/la lapine (le lapereau)   le coq/la poule (le poulet, le poussin)   le dindon/la dinde (le dindonneau)   le jars/l'oie (un oison)   le canard/la cane (le caneton)   le **cochon**/la truie (le porcelet)

un bœuf (ou un taureau pour la reproduction), un **cochon** (= un porc), un **mouton** (ou un bélier pour la reproduction)

■ **Les principaux animaux du zoo**

Dans un vivarium   **Dans un aquarium**

un serpent   un caméléon   une raie   un dauphin

un lézard   un crocodile   l'ours/ l'ourse   un requin

un oiseau   un aigle   un perroquet   le zèbre   le loup   le chameau   le singe   le tigre   le léopard   le lion/la lionne (le lionceau)   l'hippopotame   la girafe   une autruche

Le lion/la lionne, le tigre/la tigresse, le léopard sont des **fauves** *(m)*.

le loup/la louve

Les animaux sont de race *(f)* **pure** (= les deux parents sont de la même espèce animale) ou non (un chien **bâtard**, un chat de **gouttière**). Les animaux domestiques de race pure ont un **pedigree** (un certificat d'origine).

▶ *La vie des bêtes*

■ Il faut s'occuper des animaux…
– sortir un chien, le faire **toiletter** (= le faire tondre et laver), lui donner un bain, le faire courir
– lui donner à boire, à manger (= le **nourrir**), le brosser, jouer avec lui, le caresser, l'amener chez le **vétérinaire** (= le docteur des animaux), le faire **vacciner** (= faire des piqûres contre certaines maladies) et le soigner quand il est malade
– nettoyer la **cage** d'un hamster ou d'un oiseau, l'**aquarium** d'un poisson

■ Les actions vitales
Les animaux **guettent** (= surveillent pour attraper), chassent, pêchent, mangent, boivent, dorment, se battent, **se reproduisent, mettent bas** (= donnent naissance), **pondent** (des œufs) et couvent (= tiennent les œufs au chaud), naissent, meurent.

caresser (un animal) couver

■ Les déplacements
En général, les animaux marchent, sautent, courent, grimpent (aux arbres), rampent (= se déplacent sur le ventre)
Les oiseaux **volent**, certains nagent ou plongent.
Les poissons **nagent**, sautent, plongent.

■ Le langage des animaux
Le chien aboie (**aboyer**). Le chat miaule (**miauler**). L'oiseau chante, gazouille (**gazouiller**). Le coq chante (**chanter**). La poule caquette (**caqueter**). La vache meugle (**meugler**). Le cheval hennit (**hennir**). Le mouton bêle (**bêler**). Le cochon grogne (**grogner**). Le lion/le tigre rugit (**rugir**).

▶ *Pour aller plus loin*
⚠ Pour renforcer le sens :
– être heureux comme un poisson dans l'eau
– être malin comme un singe
– C'est une vraie tigresse : elle est très agressive et jalouse.
– être doux comme un agneau
– être bête comme une oie
– être sale comme un cochon
– être frisé comme un mouton
– être bavard comme une pie (parler beaucoup)
– avoir une faim de loup (= avoir très faim)
≠ avoir un appétit d'oiseau (= manger très peu)
– Il fait un froid de canard = il fait très froid.
– Il fait un temps de chien = très mauvais.
– se coucher comme les poules = très tôt

---

1. Relevez dans les deux dialogues et classez les noms d'animaux domestiques et les soins qu'il faut leur donner.

1. Noms d'animaux	2. Soins
_____	_____

2. Dans chaque série, barrez l'intrus et précisez le genre par « un» ou « une ».

🖊 *Exemple : une vache – une truie – une jument – un dauphin – un poulain – une brebis – un agneau*

1. _____ louve – _____ ours – _____ rhinocéros – _____ tigre – _____ lionne – _____ zèbre – _____ oie – _____ chameau

2. _____ chatte – _____ souris – _____ chaton – _____ singe – _____ hamster – _____ oiseau – _____ tortue – _____ poisson rouge

3. _____ tigresse – _____ léopard – _____ lion – _____ veau – _____ tigre

4. _____ poule – _____ canard – _____ poussin – _____ jars – _____ dinde – _____ requin – v poulet – _____ caneton

3. **Mettez en relation les expressions de sens proche.**

1. *mettre bas*	a. aller consulter un médecin pour les animaux
2. faire toiletter	b. faire un œuf
3. aller chez le vétérinaire	c. faire piquer un animal contre des maladies
4. faire vacciner	d. attraper des poissons
5. se reproduire	e. faire laver et tondre
6. chasser	f. donner des gestes doux
7. caresser	g. attraper des animaux vivants pour se nourrir
8. pêcher	h. *donner naissance à un petit*
9. pondre	i. faire des petits

4. **Complétez les phrases avec les verbes suivants à la forme correcte.**

*couver – voler – **nager** – ramper – se reproduire – guetter – sauter – pondre – grimper*

✍ *Exemple : Notre tortue passe son temps à **nager** d'un bord à l'autre de son aquarium, il est trop petit.*

1. Les singes adorent _____ dans les arbres et _____ de branche en branche.

2. Les oiseaux en liberté _____ très haut mais en cage, ils perdent cette habitude.

   Ils _____ rarement et quand ça arrive, peu de petits sortent vivants des œufs.

3. La poule ne bouge pas beaucoup quand elle _____ ses œufs.

4. Les animaux dans les zoos ne _____ pas beaucoup, les naissances sont exceptionnelles.

5. Quand le chat _____ un oiseau ou une souris, il _____ lentement avant de sauter dessus pour l'attraper.

5. **Soulignez le verbe qui convient.**

✍ *Exemple : L'oiseau* caquette – **gazouille** – pépie .

1. La vache hennit – meugle – hurle .   4. Le chien miaule – bêle – aboie .

2. La jument hennit – bêle – grogne .   5. Le lion rugit – meugle – bêle .

3. Le chat aboie – pépie – miaule .   6. la brebis grogne – bêle – rugit .

6. **Mettez en relation les éléments pour faire des expressions imagées.**

1. *Il mange comme…*	a. un poisson dans l'eau.
2. Il est heureux comme…	b. une oie.
3. Elle est frisée comme…	c. d'oiseau.
4. Il a une faim…	d. un singe.
5. Elle est bavarde comme…	e. une pie.
6. Elle a un appétit…	f. de loup.
7. Il est bête comme…	g. un mouton.
8. Il est malin comme…	h. *un cochon.*

7. **Activité. Les chiens sont interdits dans votre immeuble, mais vous avez très envie d'en avoir un. Allez voir votre propriétaire et expliquez-lui que le vôtre ne causera aucun problème. Votre voisin(e) joue le rôle du/ de la propriétaire.**

16. LES VÉGÉTAUX

■ *AU JARDIN BOTANIQUE*

 piste **30**

> **Mamie :** Attention, Axelle. Ici, il ne faut pas marcher sur la pelouse ni toucher aux fleurs, encore moins les couper ; tu peux seulement les regarder et les sentir. Elles sont belles, non ?
>
> **Axelle :** Oui. Mais il n'y a que des fleurs, dans ce jardin ?
>
> **Mamie :** Non, il y a aussi des arbres magnifiques. Celui-là, tu le connais, c'est un sapin.
>
> **Axelle :** Oui, c'est comme celui qu'on a à la maison pour Noël, mais il est bien plus grand !
>
> **Mamie :** Oui, c'est ça. Tiens, on arrive au verger ; ici, il y a plein d'arbres fruitiers : des pommiers, des cerisiers, des pêchers, des poiriers. Quand les fleurs seront tombées, il poussera des fruits : des pommes, des cerises, des pêches, des poires. C'est joli, non ? Et à côté, c'est le jardin potager. Là, tu vois, ce sont des carottes, des haricots, et voilà des plants de tomates…
>
> **Axelle :** Et ça, c'est de la salade.
>
> **Mamie :** Non, ce sont des feuilles de citrouille.
>
> **Axelle :** Dis Mamie, il n'y a rien de plus amusant que des plantes, dans ce jardin ?
>
> **Mamie :** Si, on va aller à la serre avec des plantes du désert, comme des cactus ; ils sont couverts d'épines et ils fleurissent quelquefois. Il y a aussi la serre tropicale où poussent des plantes avec des feuilles énormes aux formes bizarres… et des bananiers, des cocotiers.
>
> **Axelle :** Et il y a aussi des singes ?
>
> **Mamie :** Non… Bon, je vois que les plantes ne te passionnent pas... on va rentrer. La prochaine fois, je t'emmènerai au zoo, c'est promis, Axelle !

◀ Écoutez et répondez aux questions suivantes.

1. Entourez les consignes données par la grand-mère à sa petite fille. Tu peux…

sentir les fleurs – cueillir les fleurs – marcher sur la pelouse – toucher les fleurs

2. Est-ce que la petite fille aime ce jardin ?

_____

3. Classez ces plantes dans le bon espace : *les plants de tomate – les cactus – le bananier – le pommier – les carottes – le poirier – les citrouilles – le cocotier – le cerisier – les haricots*

Le potager	Le verger	Les serres

4. Qu'est-ce que la grand-mère lui propose comme prochaine promenade ?

_____

■ *DANS UNE JARDINERIE*

 piste **31**

Alain : S'il vous plaît, monsieur, je voudrais planter des arbustes pour faire une haie. Nous cherchons des plantes à feuilles persistantes.

Le vendeur : Oui, c'est au fond de l'allée, à gauche après les arbres fruitiers. Les arbustes sont là-bas et vous trouverez un vendeur.

Alain : Merci. *(À sa femme.)* Hélène, et si on plantait un cerisier au fond du jardin, ce serait sympa d'aller cueillir les cerises dans l'arbre, non ?

Hélène : Oui, mais il faudra attendre combien de temps ? Occupons-nous déjà de la haie, pour nous isoler des voisins.

Alain : D'accord, si tu veux ! Je vais voir les arbustes et toi, tu regardes les fleurs. Je te retrouve dès que j'ai fini.

(Un quart d'heure plus tard.)

Hélène : Alors, tu as trouvé ?

Alain : Oui, j'ai pris plusieurs espèces dont quelques arbustes à fleurs, ce sera pas mal, je crois. Et toi, tu as trouvé quelque chose ?

Hélène : Oui, un rosier grimpant, deux pieds de pivoines et des oignons de tulipes. Je vais aussi prendre des graines de giroflées, j'adore ces fleurs.

Alain : Je te laisse choisir ; les fleurs, je n'y connais rien. Allez, je vais à la caisse, tu m'y rejoins.

◀€ **Écoutez et cochez la bonne réponse.**

1. Ce couple veut planter… ☐ une baie ☐ une haie ☐ une raie d'arbustes.

2. Ils veulent… ☐ se rapprocher ☐ inviter ☐ s'isoler des voisins.

3. L'homme propose à sa femme de planter dans le jardin…

☐ un pommier. ☐ un cerisier. ☐ un abricotier.

4. La femme a choisi… ☐ des arbustes. ☐ des arbres. ☐ des fleurs.

▶ VOIR AUSSI *Vocabulaire en dialogues Débutant*, chapitres 11 et 12.

▶ *Les arbres* (m)

■ Les **arbres fruitiers** produisent des fruits (m) : les pommiers (m
les pêchers (m),
les abricotiers (m) ; on les **cultive** dans un **verger**.
Le raisin pousse dans une **vigne**.
En France, on **récolte** (= cueille [cueillir]) les fruits
du printemps jusqu'à l'automne, selon les variétés.
Dans les pays chauds, on trouve des bananiers (m),
des orangers (m), des manguiers (m)…

■ Les arbres poussent à l'état sauvage ou sont aussi cultivés
pour produire du bois.

Quelques arbres fréquents en France :

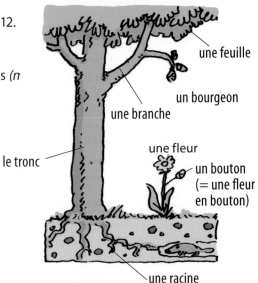

une feuille
un bourgeon
une branche
le tronc
une fleur
un bouton
(= une fleur
en bouton)
une racine

un platane   un marronnier   un sapin   un peuplier   un chêne   un bouleau   un saule pleureur

Plusieurs arbres rassemblés forment un **bosquet** (= quelques arbres) ; quand ils sont nombreux,
ils forment un **bois** (= grande étendue plantée d'arbres) ou une **forêt** (encore plus grande).
Quand ils ne perdent pas leurs feuilles (f) l'hiver, on dit que leur feuillage est **persistant**.

■ Certains arbustes (m) (= petits arbres) sont utilisés pour décorer les jardins publics ou privés,
comme le lilas, qui fait de jolies fleurs blanches ou mauves au printemps.
Les arbustes **poussent** isolés, en **buisson** (m) ou en **haie** (f) (alignés pour limiter une propriété).

▶ *Les fleurs* (f)

Les **plantes** décoratives sont le plus souvent des **fleurs** :
on les **plante** (des oignons [m] ou des pieds [m]) ou on
les **sème** (des graines [f]) dans des massifs (m) pour
décorer les jardins et les **pelouses** (f) (= étendues
d'herbe ou de gazon, bien entretenues et tondues).
Elles **fleurissent** dès le printemps et meurent en hiver.
Quand on les coupe pour en faire des bouquets (m),
elles **se fanent** (= elles meurent) après quelques jours.
Les plus fréquentes en France sont :

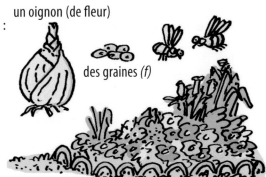

un oignon (de fleur)
des graines (f)
un massif

la rose   la tulipe   la jonquille   l'œillet   le muguet   le myosotis

Les fleurs et les plantes délicates sont cultivées dans une **serre**, un lieu fermé, protégé du froid, généralement en verre ou en plastique.

L'**horticulteur** ou le **jardinier** cultive les fleurs d'ornement. Le/la **fleuriste** les vend.

Certaines fleurs poussent aussi à l'état sauvage, comme les fleurs des champs.

▸ *Les plantes potagères*

Elles donnent des légumes *(m)* : des tomates, des haricots, des carottes, des salades…

On les sème au printemps et elles produisent jusqu'à l'automne.

Le jardinier et le **maraîcher** travaillent dans les **jardins potagers**.

On peut acheter les plantes et les arbres dans une **jardinerie**.

▸ *Les cultures agricoles*

En France, on cultive les **céréales** *(f)* (le blé, le maïs, l'avoine *[f]*, l'orge *[f]*…), la vigne (pour le raisin) et d'autres plantes comme le colza pour l'industrie agro-alimentaire.

On sème en automne ou en hiver et on récolte en été. C'est la **moisson** (= moissonner) pour les céréales. Les **vendanges** *(f)* (dans les vignes) ont lieu en automne (= vendanger).

Les **cultivateurs/agriculteurs** travaillent dans les champs *(m)* avec des machines agricoles comme des tracteurs *(m)*.

la marguerite

le coquelicot

le raisin

le blé

l'avoine *(f)*

l'orge *(m)*

le maïs

▸ *Quelques verbes*

semer des graines

traiter un arbre = le soigner contre des maladies

cueillir ou ramasser des fruits ; la **cueillette**

arroser des plantes (= leur donner de l'eau)

planter des **plants** *(m)*, des oignons

couper des fleurs

sentir le parfum d'une fleur

récolter (= couper, cueillir) quand c'est mûr ; la **récolte**

▸ *Pour aller plus loin*

avoir la main verte = être un bon jardinier

Le **vigneron/viticulteur** cultive la vigne et peut faire du vin ; le vendengeur récolte le raisin.

---

1. Relevez dans les dialogues les noms et les verbes liés aux végétaux.

1. Noms	2. Verbes

2. Indiquez masculin (M) ou féminin (F) et barrez l'intrus.

✐ *Exemple : pelouse (F) – gazon (M) – massif (M) – ~~horticulteur (M)~~ – fleur (F) – arbre (M)*

1. bourgeon ___ – bouton ___ – feuille ___ – fleur ___ – racine ___ – branche ___ – tronc ___

2. arbuste ___ – gazon ___ – racine ___ – arbre ___ – haie ___ – plante ___ – herbe ___

3. abricotier ___ – pommier ___ – potager ___ – vigne ___ – cerisier ___ – poirier ___

4. agricultrice ___ – verger ___ – horticulteur ___ – jardinier ___ – maraîcher ___ – fleuriste ___

5. blé ___ – maïs ___ – colza ___ – pré ___ – avoine ___ – vigne ___ – orge ___

6. potager ___ – jardin ___ – poirier ___ – verger ___ – serre ___ – champ ___

3. **Classez du plus petit au plus grand.**

✐ *Exemple : (3) un arbuste – (4) un arbre – (1) une fleur – (2) un fruit*

   1. ＿＿ une graine – ＿＿ une plante – ＿＿ un oignon – ＿＿ une fleur
   2. ＿＿ une branche – ＿＿ une feuille – ＿＿ un arbre – ＿＿ une graine
   3. ＿＿ une forêt – ＿＿ un bosquet – ＿＿ un arbuste – ＿＿ un buisson – ＿＿ un bois
   4. ＿＿ une feuille – ＿＿ un bourgeon – ＿＿ une branche – ＿＿ un fruit

4. **Assemblez les expressions de sens proche.**

1. *récolter*	a. mourir
2. cultiver	b. ramasser
3. arroser	c. mettre en terre
4. se faner	d. se couvrir de fleurs
5. jardiner	e. entretenir un jardin
6. cueillir	f. *cueillir*
7. planter	g. faire pousser
8. semer	h. mettre une graine dans la terre
9. fleurir	i. donner de l'eau

5. **Complétez les phrases avec ces verbes à la forme qui convient.**

*fleurir – cultiver – arroser – moissonner – se faner – jardiner – vendanger – **cueillir** – planter – récolter – semer*

✐ *Exemple : Au début de l'automne, en France, on **cueille** le raisin, les pommes et les poires.*

   1. Les fleurs de mon bouquet commencent à ＿＿＿＿＿＿＿＿ : ce serait gentil de m'en offrir un autre !
   2. Le blé est mûr et les agriculteurs veulent finir de ＿＿＿＿＿＿＿＿ avant l'orage.
   3. Si j'avais un jardin, j'aimerais beaucoup avoir un potager où je pourrais ＿＿＿＿＿＿＿＿ quelques légumes.
   4. Ce bouton va bientôt ＿＿＿＿＿＿＿＿ ; je crois que la rose sera blanche.
   5. Je n'ai pas la main très verte mais je vais ＿＿＿＿＿＿＿＿ des graines de giroflées le long de la maison. Ce sera joli.
   6. Le jardin est très sec, il n'a pas plu depuis longtemps et ce soir, il faut absolument ＿＿＿＿＿＿＿＿.
   7. Au début de l'automne, beaucoup d'étudiants vont ＿＿＿＿＿＿＿＿ dans les régions de vignes pour gagner un peu d'argent.
   8. Tu devrais aider ton grand-père : il a acheté un olivier ce matin et il veut le ＿＿＿＿＿＿＿＿ dans la cour.
   9. Ma mère adore son jardin et elle passe plusieurs heures le week-end à ＿＿＿＿＿＿＿＿.
   10. Si tu ne traites pas tes arbres, tu ne ＿＿＿＿＿＿＿＿ pas beaucoup de pommes !

6. **Activité.** Votre voisin(e) n'a pas la main verte. Conseillez-le/la pour entretenir son jardin ; expliquez-lui comment avoir de jolies fleurs, que faire pour cueillir des fruits l'été. Il/elle vous pose des questions et vous lui répondez.

17. LES SENS

■ *DÉGUSTATION*

 piste **33**

(Chez Jacques et Catherine.)

Jacques : Charles, je vais te faire déguster une petite merveille, je l'ai rapportée de mon dernier voyage en Russie : un caviar exceptionnel, je suis sûr que tu n'en as jamais goûté du vrai.

Charles : Je ne crois pas…. Mais je pensais que c'était noir.

Jacques : Non, il doit être d'un gris plus ou moins clair ou encore ambré… Tiens, mais avant, sens-le ; il a une odeur iodée, on retrouve la mer, tu ne trouves pas ?

Charles : Oui, un peu acide. *(Charles goûte.)* Il est effectivement délicieux et très moelleux. J'aime bien ce goût légèrement fruité. Mais tu ne le manges pas avec un peu de citron ?

Jacques : Non, surtout pas, ce serait du gâchis. Par contre, ça se marie très bien avec de la crème fraîche sur un toast. Essaie…

Charles : Merci, hum, c'est succulent… Mais, au fait, où sont Catherine et Sylvie ? Il faut qu'elles goûtent ça elles aussi.

Jacques : Elles vont arriver, elles sont allées faire les boutiques. D'ailleurs, elles arrivent, je les entends dans l'escalier.

Catherine : Bonsoir. Oh ! mais vous êtes en train de manger du caviar ! Tu vois Sylvie, ils ne se refusent rien ! J'espère que vous nous en avez laissé !

Jacques : Tenez, prenez un toast grillé et préparez-vous une tartine. Mais dépêchez-vous, sinon il ne vous en restera plus…. Alors, vous avez fait des folies ?

Sylvie : Catherine s'est acheté un manteau en cachemire ; touche comme il est doux, à la fois léger et très chaud. Magnifique, non ?

Jacques : C'est vrai. Et toi, Sylvie, tu n'as rien trouvé ?

Sylvie : Si, je me suis offert une paire de bottes ; elles sont souples et donc très confortables. Regardez comme elles sont belles !

Jacques : Oui, pas mal. Bon, et mon caviar alors, vous le trouvez comment ?

Catherine : Pas mauvais, mais il a un goût de trop peu et je meurs de faim, pas vous ? Je propose qu'on aille dîner.

Jacques : Tu as prévu quelque chose ?

Catherine : Non, mais écoutez, le restaurant italien en bas de la rue sert des plats de pâtes succulents. Après le caviar, des pâtes, c'est original, non ?

🔊 **Écoutez et cochez la bonne case.**

	vrai	faux	on ne sait pas
1. Le caviar est noir.	☐	☐	☐
2. Il sent la mer.	☐	☐	☐
3. Il a un goût acide.	☐	☐	☐
4. Le caviar est un peu dur.	☐	☐	☐
5. Il se mange avec du citron.	☐	☐	☐
6. C'est délicieux avec de la crème fraiche et un toast grillé.	☐	☐	☐
7. Le cachemire est un tissu de laine.	☐	☐	☐
8. C'est chaud, léger et très doux.	☐	☐	☐
9. Une des femmes a acheté une paire de bottes très souples.	☐	☐	☐
10. Il n'y a pas beaucoup de caviar.	☐	☐	☐
11. Ils vont dîner à la maison.	☐	☐	☐

Les cinq **sens** *(m)* permettent de **percevoir**, de sentir, d'avoir une perception du monde qui nous entoure.

▸ *Le toucher (avec la main)*

On peut sentir, **toucher** un matériau **dur** (comme le bois) ou **mou** (comme une boule de coton), **rigide** (comme le métal) ou **souple** (comme un tissu).
On peut **caresser** (= toucher avec douceur) une personne, un animal, une matière douce.
Le verre est **lisse**, la pierre est **granuleuse**.
Un tissu peut être souple, doux (par exemple, la soie, le cachemire)≠ **rugueux/rêche** (par exemple, le lin).
Un objet peut être épais (comme un gros livre) ≠ fin (comme une feuille de papier).

dur/-e　　　　　mou/molle

▸ *La vue (avec les yeux)*

La photographie, le cinéma, la peinture sont des arts **visuels** (= qu'on voit).
Une chose est **visible** (= quand on peut la voir) ≠ invisible.
On peut voir (= poser les yeux sur quelque chose) et regarder (avec attention) une chose.

⚠ **Attention :** au cinéma, on va **voir** un film mais on **regarde** un film à la télévision et on **regarde** la télévision.
« Je vois » veut aussi dire « Je comprends ».
Quand on voit mal quelque chose, au loin, on **distingue** (distinguer) ou on **aperçoit** (apercevoir).
Une photo peut être **nette** (on voit bien les détails) ≠ **floue**.
Une personne qui a perdu la vue est **aveugle** = elle est non voyante, elle souffre de cécité *(f)*.
Si elle a une très mauvaise vue, elle voit mal, elle est **malvoyante**.
Une lumière **aveuglante** est une lumière si forte qu'elle empêche de voir.
La nuit, les phares des voitures sont aveuglants.

apercevoir, distinguer

▸ *L'ouïe (f) (avec les oreilles)*

On entend un bruit/un son.
On peut **entendre** (sans y prêter attention) des pas, des voix. Mais on **écoute** (avec attention) de la musique, un conseil, un discours.
Quand on entend un son, il est **audible** ≠ inaudible.
Un son, une voix sont **nets/clairs feutrés/étouffés**.
Un bruit très fort est **assourdissant** (= à devenir sourd).
Une musique agréable est harmonieuse.
Une personne qui n'entend pas est **sourde** ; elle souffre de **surdité** *(f)*. Si elle entend très mal, elle est **malentendante**.

▶ L'odorat (m) (avec le nez)

On peut **sentir** (= respirer) une bonne **odeur**, un parfum, un **arôme** (parfumé agréablement) ou une mauvaise odeur, une odeur **nauséabonde** (= très désagréable).

Quelque chose qui a une odeur est **odorant**.
Quelque chose qui sent mauvais est malodorant.
Quelque chose qui n'a pas d'odeur est **inodore**.
Une bonne odeur **embaume**/sent bon, une mauvaise odeur **pue/empeste** (embaumer/sentir bon puer/ empester).

Un parfum, une odeur peuvent être **subtils**, **délicats**, très fins **grossiers**.
Quand quelque chose sent très mauvais (une odeur **pestilentielle**), on peut dire « ça pue/ça empeste ».

Un parfum peut aussi être sucré, poivré, épicé, acide (comme un plat), lourd ou léger (comme un tissu), frais, vert ou **capiteux** (qui monte à la tête).

embaumer   Ça pue/empeste.

▶ Le goût (avec la bouche)

On **goûte**, on **déguste** un aliment ou une boisson pour l'essayer ou l'apprécier.
Le miel est sucré les huîtres sont salées.
Le citron est **acide** la banane est **douce**.
Le café nature est amer (*féminin* : amère).
Un produit qui a du goût/de la **saveur** est **savoureux**.
S'il n'a pas de goût, il est **insipide**.
Un plat très bon est délicieux, **succulent** ou savoureux **infect**.

▶ Pour aller plus loin

Ça me casse les oreilles = ce bruit me rend fou.
Les murs ont des oreilles = on peut nous entendre.
Il a la vue basse = il ne voit pas bien.
Il n'a pas les yeux dans sa poche = il remarque tout.
J'ai eu du nez = j'ai bien prévu les choses.
C'est à mon goût = ça me plaît.
Ça a un goût de trop peu = il n'y en a pas assez.

délicieux/-se, très bon   amer

⚠ **Attention :** la sensualité est la capacité à goûter les plaisirs des sens, plus particulièrement érotiques (une personne sensuelle).

1. **Relevez dans le dialogue les expressions liées aux sens.**

1. Le toucher	2. Le goût	3. L'odorat	4. La vue	5. L'ouie
_____	_____	_____	_____	_____

2. **Dans chaque série, barrez l'intrus.**

✎ *Exemple : la vue – l'ouie – le toucher – l'odorat – ~~l'oreille~~ – le goût*

1. doux – rêche – rugueux – dur – épais – amer – souple – léger – lisse – fin
2. lourd – léger – épicé – fin – discret – capiteux – net – vert – sucré – subtil
3. sucré – épicé – insipide – flou – acide – amer – savoureux – doux – salé
4. infect – insipide – amer – rêche – lourd – nauséabond
5. savoureux – délicat – assourdissant – fin – parfumé – doux – harmonieux

3. **Reliez les expressions de sens proche.**

1. *Ça n'a aucun goût.*
2. Ça sent très mauvais.
3. Ça sent très won.
4. Je n'arrive pas à le voir.
5. On ne voit pas bien les détails.
6. Il y a trop de bruit.
7. C'est une lumière trop forte.

a. C'est aveuglant.
b. C'est assourdissant.
c. Ça pue.
d. C'est flou.
e. C'est invisible.
f. *C'est insipide.*
g. Ça embaume.

4. **Complétez ces phrases par un verbe à la forme qui convient.**

*sentir – apercevoir – déguster – **empester** – voir – entendre – écouter – embaumer – goûter – regarder – toucher*

✎ *Exemple : Tu ne trouves pas que ce fromage **empeste** ? Je crois qu'il faut le jeter.*

1. Désolée, avec le rhume, j'ai le nez bouché et je ne _____ absolument rien : ni les bonnes odeurs, ni les mauvaises.

2. Ce sac est magnifique ! _____ le cuir, il est très souple !

3. – Qu'est-ce que tu veux faire ? Tu as envie de _____ un DVD ?
   – Non, je préfère _____ les films au cinéma. Tu as le programme ?

4. Ce week-end, je suis allée dans la région de Bordeaux et _____ de très grands vins. J'en ai rapporté quelques bouteilles, tu veux le _____ ?

5. – Cette nuit, j'ai mal dormi car il y a eu un gros orage. Il y a eu du tonnerre.
   – Ah bon, je _____ rien _____ . Tiens, au fait, j'ai acheté le dernier CD de Raphaël, tu veux _____ ? Il n'est pas mal du tout.

6. Regarde avec les jumelles, tu verras mieux : entre l'église et l'arbre à droite, tu devrais _____ ma maison, non ?

7. Hum, tes roses _____ toute la pièce !

5. **Soulignez l'adjectif qui convient.**

✎ *Exemple : Ton chirurgien a fait un excellent travail : ta cicatrice est* insipide – **invisible** – grossière .

1. Cette musique est délicate – sourde – assourdissante , on ne s'entend pas parler !

2. Je n'aime pas trop ce parfum, il est trop rêche – capiteux – épais pour l'été. Je voudrais quelque chose de plus frais – savoureux – souple .

3. Goûtez ces poires du jardin, elles sont délicieuses, bien amères – acides – sucrées .

4. Touche le tissu de ce manteau, comme il est subtil – doux – harmonieux !

5. Ta sauce est trop épaisse – salée – épicée , ajoute un peu d'eau pour la rendre plus liquide.

6. **Activité. Faites deviner à votre voisin(e) un produit en le décrivant seulement par l'odeur, le toucher, le goût. Puis changez de rôle.**

■ BILAN 4

1. Complétez les phrases avec les expressions suivantes.

*raz de marée – inondation – tremblement de terre – ouragan – **séisme***

🖉 *Exemple : Les **séismes** font partie des catastrophes naturelles.*

1. Cette nuit, un _____ a traversé la Guadeloupe, arrachant des arbres sur son passage.
2. Si cette grosse pluie continue, la circulation va être coupée à cause des _____ .
3. Dans les îles de l'océan Indien, les _____ sont prévisibles ; on devrait construire des murs pour protéger les villages de la côte.
4. Hier, Istanbul a été touché par un léger _____ mais il n'y a pas eu de dégâts matériels.

2. Remplacez l'expression soulignée par un adjectif.

🖉 *Exemple : Le ciel est plein de nuages. → Il est **nuageux**.*

1. Ce soir, c'est une nuit <u>avec beaucoup d'étoiles</u>. → _____
2. Dans cette région, la terre est <u>mélangée à du sable</u>. → _____
3. La journée est belle, <u>il y a beaucoup de soleil</u>. → _____
4. Ce n'est pas agréable de se baigner ici, la côte <u>a beaucoup de rochers</u>. → _____

3. Associez les éléments qui vont ensemble pour faire des phrases.

1. *Dans le nord de la France, on cultive…*   a. des vaches pour la viande.
2. Dans le Massif central, on élève…   b. des pommiers excellents pour faire du cidre.
3. À la ferme près de chez nous, il y a…   c. *le blé et d'autres céréales.*
4. Avec le lait des brebis, on produit…   d. de délicieux fromages de montagne.
5. Nous irons au zoo voir…   e. des lions et d'autres fauves.
6. Dans les vergers de Normandie, poussent…   f. des poules, une oie et des lapins.

4. Associez les éléments qui vont ensemble.

1. C'est enfant est doux comme un…   a. chien
2. Mme Dumont est agressive et désagréable, c'est une vraie…   b. canard
3. Il pleut, il fait froid, il y a du vent, un vrai temps de…   c. oiseau
4. Tu es déjà au lit ? Mais tu te couches comme les….   d. tigresse
5. Qu'est-ce qu'il y a au menu ? J'ai une faim de…   e. pie
6. Elle ne mange presque rien, elle a un appétit d'…   f. loup
7. Mets ton manteau, des gants et une écharpe, il fait un froid de…   g. agneau
8. J'évite ma concierge ; elle est bavarde comme une…   h. poules

5. Complétez ces phrases avec les expressions suivantes.

bâtard – pedigree – race – vaccin – cage – gouttière – vétérinaire

1. Je déteste voir des animaux dans une _____ ; ils sont tellement mieux en liberté.
2. Mon voisin dit que les chiens de _____ sont idiots parce que ce sont des chiens de luxe ; lui, il n'a que d'affreux _____ qui aboient toute la nuit.
3. Nos amis nous ont donné ce chien : c'est un vrai cocker mais il n'a pas de _____ .

4. Il faut que j'emmène mon chat chez le _____ pour qu'il lui fasse ses derniers _____ .

5. Le chat de Léo est magnifique, pourtant c'est un chat de _____ .

6. **Qui fait quoi ? Retrouvez la profession de ces personnes.**

1. Louise vend des fleurs dans un magasin. → _____

2. Maurice cultive les légumes dans son potager pour les vendre sur les marchés. → _____

3. Marianne travaille pour la décoration des jardins et des parcs. → _____

4. François a une exploitation agricole et il travaille dans les champs. → _____

5. Pierre cultive la vigne en Champagne. → _____

6. Michel produit du vin dans la région de Bordeaux. → _____

7. **Dites le contraire des expressions soulignées.**

1. Cette photo est floue. → _____

2. Cette pierre est granuleuse. → _____

3. Ces voix sont étouffées. → _____

4. Ce parfum est lourd. → _____

5. Cette lettre est lisible. → _____

6. Ce tissu est doux. → _____

7. Ce plat est insipide. → _____

8. Ce gâteau est succulent. → _____

9. Ce matelas est mou. → _____

10. Cette odeur est subtile. → _____

8. **Complétez les phrases avec les verbes suivants à la forme correcte.**

caresser – apercevoir – sentir – empester – embaumer

1. Il me semble que ça _____ dans ta chambre ; tu devrais ouvrir les fenêtres.

2. Elle adore son chat, elle passe ses soirées à le _____ en regardant la télé.

3. Les roses _____ dans le jardin, on les sent d'ici.

4. En regardant bien la photo, on _____ le bateau de ton frère au loin.

5. Tu étais assis sur mon livre. Tu ne _____ pas quelque chose de dur sous tes fesses ?

9. **Associez les éléments pour en faire des phrases.**

1. Dans cette discothèque, c'est impossible de s'entendre, la musique est…   a. invisible

2. Passe moi mes lunettes de soleil, la lumière est…   b. aveugle

3. Pour voir cette molécule, il faut un microscope ; à l'œil nu, elle est…   c. malentendant

4. La photo, la peinture, la vidéo font partie de l'art…   d. aveuglante

5. Ray Charles a perdu la vue très jeune ; en effet, à 7 ans, il est devenu…   g. assourdissante

6. Beethoven a composé ses dernières œuvres alors qu'il était…   h. sourd

7. Mon grand-père n'entend pas bien, il est…   i. visuel

18. LA CONSISTANCE, LE GOÛT, LES MESURES

■ *PRODUITS EXOTIQUES*

 piste **34**

(Au Salon de la gastronomie, deux amies dégustent des produits en passant devant des stands de spécialités gastronomiques de différents pays.)

Frédérique : Hum, comment tu trouves ça ? C'est une spécialité vietnamienne.

Christelle : Ça a une drôle de consistance : c'est mou et un peu élastique, avec un goût bizarre, ni sucré, ni salé. Je pense que c'est fait avec du riz, non ?

Frédérique : Oui, c'est curieux. Je n'aime pas vraiment, mais c'est joli : cette petite boule rose et jaune, ça donne envie de mordre dedans. Et regarde ça, tu crois que c'est un dessert ?

Christelle : Cette crème blanche ? Je ne sais pas, on peut en acheter une pour y goûter si tu veux. Mais ça me semble bien liquide et l'odeur est un peu aigre, non ?

Frédérique : Oui, tu as raison. Oh, là-bas, il y a un stand de pâtisseries orientales. J'adore les loukoums. On y va ?

Christelle : Allons-y si tu veux mais je n'y toucherai pas. Je trouve ça écœurant, collant… et beaucoup trop sucré à mon goût. En plus, c'est lourd à digérer.

(Un peu plus loin, quelques minutes plus tard.)

Frédérique : Et ça, tu connais ? Ce gros fruit ovale, tout hérissé, c'est quoi ?

Christelle : C'est un durian, j'en ai mangé en Indonésie. Les Asiatiques en raffolent mais l'odeur est très forte et, à mon avis, c'est infect. Je te déconseille d'y goûter. Prenons plutôt ça, la chair est fine et parfumée. Tiens, essaie.

Frédérique : Non, je crois que j'ai mangé un peu trop de loukoums et je me sens lourde. Je vais arrêter là mes dégustations pour aujourd'hui.

■ Écoutez et soulignez les bonnes réponses.

1. Le premier plat vietnamien est sucré, salé, mou, blanc, dur, élastique, rose, jaune, épicé, acide

2. Le deuxième plat est liquide, solide, sucré, aigre, doux

3. Le loukoum est un dessert sucré, dur, collant, léger, lourd

4. Le durian un fruit rond, ovale, doux, hérissé, gros, petit, au parfum insipide, fort

■ *UN CADEAU ÉTRANGE*

 piste **35**

Martin : Regarde ! J'ai un cadeau pour toi, mais tu dois le mériter : je l'ai rapporté de mon voyage au Brésil, alors il faut que tu devines ce que c'est à travers le papier.

Baptiste : Bon, d'accord, j'essaie de trouver : ce n'est pas lourd, pas trop encombrant, c'est dur, plutôt léger. Attends, je sens deux parties rectangulaires, non… plutôt coniques… un peu allongées, étroites, et puis entre les deux, quelque chose de mince et recourbé… Je ne vois pas du tout ce que ça peut être… un outil ? un instrument de musique ? C'est en bois et en métal ?

Martin : Allez, je t'aide, c'est en fer… et les Brésiliens tapent dessus avec une fine baguette de bois. On l'utilise dans les fêtes.

Baptiste : Ça y est, je crois savoir : c'est une sorte de cloche, non ? J'ai vu un documentaire l'autre soir sur des tribus brésiliennes et les gens marquaient le rythme avec cet instrument bizarre. Je peux ouvrir maintenant ?

Martin : Oui, ça s'appelle un « agogô ». J'espère que ça te plaît pour compléter ta collection d'objets rares.

◀ Écoutez et complétez les informations sur « l'agogô ».

Provenance : _____   Utilité _____

Matière _____   Forme : _____

Poids : _____   Taille : _____

Consistance : _____

▶ VOIR AUSSI CHAPITRE 17 « LES SENS »

▶ *La consistance*

toucher, **tâter**, sentir (avec la main)

liquide (comme l'eau) ≠ **solide** (comme le pain)

fin/-e ≠ épais/-se, **consistant**/-e

mou/molle (comme un fruit mûr), **tendre** (comme de la bonne viande),

moelleux/-euse (comme un gâteau frais) ≠ **dur**/-e (comme la pierre)

compact/-e (comme un morceau de sucre) ≠ **friable** (comme un biscuit)

souple (comme un tissu) ≠ **rigide** (comme du verre), raide

sec/sèche (comme un vieux fromage) ≠ **onctueux**/-euse (comme une sauce [positif])

gras, huileux [négatif]

caoutchouteux/-euse, élastique (comme un chewing-gum)

collant/-e (comme une pâte pas cuite)

farineux/-euse, **pâteux**/-euse (comme du pain pas assez cuit)

▶ *Les goûts*

goûter, **déguster**

sucré ≠ salé, poivré, pimenté

épicé, **relevé**, bien assaisonné ≠ **fade**, pas assez relevé

bien, trop, pas assez assaisonné/relevé/épicé

savoureux, parfumé ≠ **insipide**, sans saveur, **inodore**

doux (comme le lait), sucré ≠ amer/-ère (comme la peau du citron), acide (comme une pomme verte), aigre (comme du yaourt)

subtil/-e, **délicat**/-e, fin/-e fort/-e

appétissant/-e (qui donne envie) ≠ **écœurant**/-e, dégoûtant/-e

▶ *Les formes*

un cercle = un rond, rond/-e, arrondi/-e

une sphère, sphérique

un ovale, ovale

un carré, carré/-e

un cube, cubique

un rectangle, rectangulaire

un cylindre, cylindrique

un cône, conique

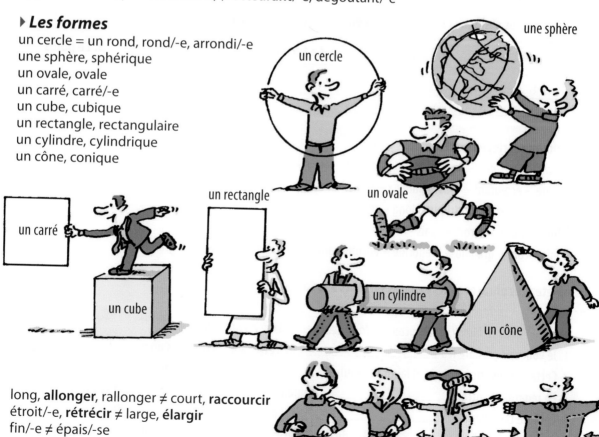

une sphère

un cercle

un ovale

un rectangle

un carré

un cube

un cylindre

un cône

long, **allonger**, rallonger ≠ court, **raccourcir**

étroit/-e, **rétrécir** ≠ large, **élargir**

fin/-e ≠ épais/-se

raccourcir   allonger   élargir   rétrécir

▸ *Les dimensions*

mesurer, prendre une **mesure** :
> *Je mesure/je prends les mesures de ma table. Cette table mesure/fait 1,20 m.*

grand/-e, **encombrant**/-e (pour un meuble), **immense** (pour une pièce, un appartement, une maison) **gigantesque** (pour un pont, un chantier)

grandiose (pour un château, un monument, un paysage)

petit/-e, **minuscule** (pour une pierre sur une bague), **illisible** (pour une écriture)

microscopique (pour une molécule)

gros/grosse, **énorme** mince

la longueur, la largeur

un kilomètre (km), un mètre (m), un centimètre (cm), un millimètre (mm)

une surface, une aire

un mètre carré (m²), un kilomètre carré (km²), un hectare (ha) (= 10 000 m²)

▸ *Le poids*

peser (avec une balance, pour connaître le poids), **soupeser** (= deviner le poids) :
> – *Ce colis pèse/fait 4 kilos.*
> – *Pèse ta valise avant de partir à l'aéroport.*
> – *Je n'ai pas de balance mais je l'ai soupesée, je crois qu'elle fait moins de 20 kilos.*

lourd/-e, **pesant**/-e léger/-ère, **allégé**/-e

alourdir, **lester**, surcharger délester, alléger, décharger

un gramme (g), une livre/500 grammes, un kilo (kg), un quintal (cent kilos), une tonne (mille kilos)

un poids plume = un poids léger (comme une plume)

un poids lourd = un gros camion

---

1. Relevez dans les dialogues les expressions en rapport avec les notions suivantes.

1. La consistance	2. Le goût	3. La forme	4. La dimension	5. Le poids
_____	_____	_____	_____	_____

2. Dans chaque série, barrez l'intrus.

+ *Exemple : dur – mou – liquide – épais – **étroit** – lourd – souple – doux*

1. aigre – écœurant – gras – huileux – subtil – acide – amer
2. rond – carré – cylindrique – long – rectangulaire – ovale
3. long – large – étroit – épais – mince – fin – lourd – allongé – court
4. minuscule – grandiose – énorme – encombrant – léger – microscopique – grand

3. Complétez ces phrases avec les noms suivants à la forme correcte.

poids – taille – surface – largeur – mesure – longueur

+ *Exemple : Dans ce film, il y a beaucoup de **longueurs** ; on aurait pu faire plus court !*

1. Je voudrais prendre les _____ de cette table. Avez-vous un mètre ?
2. Cette jupe est trop grande, il faudrait réduire la _____ au niveau de la ceinture.
3. En regardant votre _____, je pense que vous devriez faire un petit régime.
4. Compte tenu de sa _____, Pascal devrait au moins peser 5 kilos de plus.
5. Quelle est la _____ de cette pièce ? Je dois calculer le nombre de pots de peinture nécessaires pour peindre le plafond.

4. **Associez les éléments qui vont ensemble (parfois plusieurs possibilités).**

1. *C'est doux comme…*
2. C'est dur comme…
3. C'est mou comme…
4. C'est rond comme…
5. Elle est mince comme…
6. C'est sec comme…
7. C'est souple comme…
8. C'est raide comme…
9. C'est caoutchouteux comme…
10. C'est lourd comme…
11. C'est léger comme…
12. C'est minuscule comme…

a. un ballon.
b. du plomb.
c. un vieux morceau de pain.
d. une plume.
e. un tissu fin.
f. un morceau de verre.
g. une pâte mal cuite.
h. un fil.
i. du beurre fondu.
j. une tête d'épingle.
k. du bois.
l. *de la soie.*

5. **Soulignez l'adjectif qui convient.**

✎ *Exemple : Cette soupe n'était pas bonne : trop* dure – sucrée – **épicée** *à mon goût.*

1. C'est une boisson un peu liquide – solide – amère mais je l'aime bien l'été.

2. Je ne mange pas cette pâtisserie, je la trouve écœurante – molle – insipide .

3. Prête-moi tes lunettes, ce texte est imprimé en caractères immenses – gros – minuscules et je n'arrive pas à le lire.

4. Je lis un livre très épais – mince – large et je crois que je ne vais pas le finir.

5. Je trouve ces assiettes ovales – cylindriques – cubiques très belles, pas toi ?

6. **Complétez les phrases avec les verbes suivants à la forme correcte.**

peser – alléger – mesurer – goûter – tâter – soupeser – sentir – déguster

✎ *Exemple : Vous devriez **goûter** ce plat, il est excellent !*

1. Est-ce que tu _____ comme ce tissu est doux ? C'est de la soie.

2. Ma valise _____ au moins quinze kilos et je ne peux pas la porter, vous pouvez m'aider ?

3. Le salon _____ 3 mètres sur 4, donc ce canapé est beaucoup trop encombrant.

4. _____ mon sac, il fait au moins dix kilos.

5. Tu ne devrais pas boire ce vin si vite. C'est un grand cru, _____-le par petites gorgées.

6. Vous devez _____ ce tissu, c'est à la fois moelleux, léger et chaud ; une merveille !

7. Cette pâte est trop grasse, il faudrait l' _____ en ajoutant un peu d'eau.

7. **Activité. Deux par deux, vous devez faire deviner à votre voisin(e) un aliment, une boisson, un objet usuel et une matière en les décrivant par leur goût, leur consistance, leur forme et leur poids. Posez-vous des questions. Bonne chance !**

19. LES MÉDIAS

■ *CHEZ LE MARCHAND DE JOURNAUX*

 piste **36**

Le père : Bonjour, vous n'avez plus *Libération* ?

La vendeuse : Regardez là-bas, sur le présentoir des quotidiens. Il en reste peut-être !

Le père : Non, il n'y en a pas. Tant pis, je vais prendre un journal régional. Vous avez *Ouest-France* ?

La vendeuse : Oui, bien sûr, je sais qu'il en reste.

Le fils : Papa, tu peux m'acheter un magazine pour aller à la plage ?

Le père : Bon, d'accord, va le chercher… Qu'est-ce que c'est ? Une revue de photos ? C'est nouveau que tu t'intéresses à la photo ! Ah oui, il faut aussi *Elle*, pour ta mère. Où sont les magazines féminins ?

La vendeuse : Au fond du magasin à gauche. Et avec *Elle*, cette semaine, il y a un supplément : un « Spécial minceur » !

Le père : Très bien. Ça va lui plaire ! Bon voilà, je crois que je n'ai rien oublié. Je vous dois combien ?

La vendeuse : Ça fait 9 euros 50.

Le père : Tenez. Et demain, vous pouvez me garder un *Libération* ?

La vendeuse : Bien sûr. Bonne journée et à demain !

■€ **Écoutez et répondez aux questions suivantes.**

1. Associez le type de magazine au bon lecteur.

Ouest France	Magazine de photos	Elle

2. Quel quotidien le père voulait-il ?

_____

3. Quel est le supplément du magazine *Elle* ?

_____

■ *SOIRÉE TÉLÉ*

 piste **37**

> **Mathilde :** Je viens de jeter un œil au programme télé; ce soir je ne veux pas rater *Top chef*. C'est sur M6 à 20h55. Ça te dit, Alex ?
>
> **Alex :** *Top Chef*, c'est une émission qui organise des concours de chefs; ils expliquent des recettes, c'est bien ça ?
>
> **Mathilde :** Oui, tu vas voir, c'est super.
>
> **Alex :** Oh, moi tu sais la cuisine ce n'est pas mon truc et puis ce soir sur Canal on diffuse en direct le match de foot Bordeaux-Liverpool. Alors tu n'as qu'à regarder dans le salon *Top chef* et je resterai dans la cuisine pour voir le match.
>
> **Mathilde :** Bon, d'accord mais je regrette que tu ne fasses pas plus souvent la cuisine !... Oh, il est 19 heures. Tu peux allumer la radio, je voudrais écouter les infos.
>
> **Alex :** Très bonne idée, je n'ai pas eu le temps de lire les infos en ligne aujourd'hui.

◀ Écoutez et cochez les phrases vraies.

☐ La femme veut regarder une émission de cuisine à la télé.

☐ Top Chef passe à 21h55 sur M6.

☐ L'homme prépare souvent les repas.

☐ Il va regarder un match de football dans le salon.

☐ Il n'a pas pu lire les infos en ligne.

☐ La femme veut écouter la radio pour connaître l'actualité.

Pour **suivre** l'actualité *(f)*, on peut :
– lire la **presse écrite** : un journal national ou régional (= un **quotidien**, il paraît tous les jours),
ou lire un **magazine** d'information (= un **hebdomadaire** ou un **mensuel**),
– écouter la radio,
– regarder la télévision,
– **se connecter** sur Internet pour obtenir les informations *(f)*.
Tous ces moyens représentent les **médias** *(m)*.

▶ *La presse écrite*

La presse écrite est vendue en **kiosque** *(m)*, ou dans une maison de la Presse, ou encore sur **abonnement** *(m)* (= on reçoit régulièrement tous les numéros *[m]* chez soi). On appelle l'ensemble de la presse écrite les **périodiques** *(m)*.

■ Dans un journal, la première page s'appelle « la **une** » ; on y trouve les grands **titres** de l'actualité suivis d'**articles** *(m)*, écrits par des **journalistes** et illustrés par des **photographes** et des **humoristes** (qui font des dessins drôles ou critiques, ou des **caricatures** *[f]*, en rapport avec l'actualité).
Dans un quotidien, on trouve les mêmes **rubriques** *(f)* (= parties) chaque jour : l'**éditorial** *(m)* (rédigé par le rédacteur en chef, qui donne une idée générale des principaux **événements** *[m]* du jour), la politique, l'économie *(f)*, le commerce et la finance, l'actualité internationale, la vie sociale ou les **faits** *(m)* de société (= les événements sociaux, les changements dans la société), les **faits divers** (= des événements sans grande importance comme des vols, des meurtres, des accidents), les prévisions *(f)* météo, les spectacles, les sports, des jeux, l'horoscope *(m)*…

■ Les magazines et les revues *(f)* (plus spécialisées en photo, reportages géographiques, tourisme, automobile, décoration, jardinage…).
Ils peuvent être hebdomadaires, mensuels (= ils paraissent une fois par mois) ou trimestriels (= une **parution** par trimestre).
Il existe des magazines sur l'actualité, la mode, le cinéma, les programmes de télévision…
Pour les journaux comme pour les magazines, le public est fait de **lecteurs** et de lectrices.
feuilleter un magazine = tourner les pages, sans les lire très attentivement

la une

un kiosque

▶ *La radio*

La radio permet de **capter** des **stations** *(f)* sur lesquelles sont **diffusés** (donnés) des programmes composés de plusieurs **émissions** *(f)*.
Ces programmes sont présentés par des journalistes, des **animateurs**/-trices ou des **présentateurs**/-trices.
On peut écouter les informations, des documentaires *(m)*, des **reportages** *(m)*, des **débats** *(m)*, des concerts, des chansons (= des variétés), des **feuilletons** *(m)* radio, du sport…
Les émissions peuvent être **retransmises** en direct ou en **différé** (= plus tard).
Le public des radios est fait d'**auditeurs** et d'auditrices qui **suivent** les émissions.

▶ *La télévision*

La télévision permet de **recevoir** plusieurs **chaînes** *(f)*, publiques et privées. Certaines ne peuvent être captées/reçues qu'à l'aide d'une parabole ou par **câble** *(m)*. L'abonnement est alors payant.
Les chaînes de télévision diffusent des **magazines** d'actualité ou des reportages (= documentaires *[m]*), des feuilletons ou des **séries** *(f)* (= on suit une histoire diffusée en plusieurs épisodes *[m]* ou parties), des rencontres sportives, des émissions de variétés (chansons, sketches *[m]* comiques, chorégraphies…), des films et des émissions de télé-réalité (qui filment la vie quotidienne de personnes volontaires pré-sélectionnées).
Le public de la télévision est fait de **téléspectateurs** et de téléspectatrices.

une parabole

▶ *Internet* *(voir aussi chapitre 9)*

Si on veut recevoir Internet, il faut avoir une **connexion** avec un **fournisseur d'accès**, pour pouvoir se connecter ; en général, il faut payer un abonnement. Aujourd'hui, la presse écrite, les radios et certaines chaînes de télévision sont également accessibles en ligne, par Internet. L'information circule aussi par les réseaux sociaux comme Facebook, Twitter ou WhatsApp qui permettent des interactions instantanées via Internet.
Le public d'Internet s'appelle des **internautes** *(m/f)*.

1. Relevez dans les dialogues et classez tous les noms les verbes en rapport avec la presse et les médias.

2. Dans chaque série, barrez l'intrus.

🖊 *Exemple : lire – écouter – regarder – suivre – s'abonner – feuilleter*

1. un quotidien – un périodique – une émission – un magazine – une revue – un journal
2. une radio – une émission – une station – un animateur – un programme – une chaîne
3. les sports – la politique – les faits divers – le kiosque – la météo – l'économie – les faits de société
4. une caricature – un hebdomadaire – une photo – un dessin humoristique – une illustration
5. un lecteur – une auditrice – une présentatrice – un téléspectateur – un internaute

3. Classez ces mots entre presse écrite, radio et télévision (parfois, plusieurs possibilités).

1. Presse écrite	2. Radio	3. Télévision
la une		

a. ***la une***
b. une chaîne
c. un programme
d. un titre
e. une photo
f. un article
g. une rubrique
h. les actualités
i. une station
j. un quotidien
k. un animateur
l. une émission

4. Complétez les phrases avec les noms suivants à la forme correcte.

chaîne – station – les réseaux sociaux – parabole – émission – différé – programme – série – éditorial

🖊 *Exemple : Mon mari est un passionné de tennis et il ne supporte pas de voir un match en **différé** ; il préfère encore le suivre en direct à la radio !*

1. On vient d'installer une _____ sur le toit ; on pourra ainsi recevoir les _____ du monde entier.

2. Je regrette qu'on ne puisse pas lire l' _____ du *Monde* sur Internet. Ça donne une bonne idée de l'actualité du jour.

3. Cette _____ de radio diffuse essentiellement du jazz. Ce soir, à 21 h 30, il y a une excellente _____ consacrée à Miles Davis.

4. Tu devrais regarder plus souvent Arte. Leurs _____ sont très variés et intéressants.

5. N'appelle pas ta grand-mère maintenant ; elle regarde sûrement sa _____ préférée qu'elle ne manque sous aucun prétexte.

6. D'abord les jeunes puis tout le monde s'est mis à communiquer sur _____.

5. **Retrouvez la rubrique à laquelle appartient chacun de ces extraits.**

*économie – faits divers – politique – **finances** – météo – société*

✎ *Exemple : Le dollar marque un léger retrait en fin d'après-midi par rapport à l'euro. Le yen reste stable. La bourse de Tokyo sera fermée demain... → **finances***

1. Le ministre de l'Éducation rencontrera demain des représentants des syndicats d'enseignants pour discuter des conditions de travail du personnel dans le secondaire...

→ _____

2. Les Français sont plus nombreux à se marier mais les divorces augmentent chaque année davantage...

→ _____

3. Dans le Nord, les températures resteront fraîches pour la saison. Les pluies seront abondantes dans le Sud... → _____

4. La voie rapide 112 a été fermée entre Saint-Brieuc et Plancouët : un poids lourd transportant du fuel s'est renversé, provoquant un important bouchon... → _____

5. L'industrie automobile affiche pour le premier trimestre une hausse de 5 %, ce qui est en partie dû à l'augmentation des ventes vers l'étranger... → _____

6. **Complétez ces phrases avec les verbes à la forme correcte.**

*regarder – capter – écouter – diffuser – s'abonner – suivre – retransmettre – se connecter – **présenter***

✎ *Exemple : Ma fille connaît le journaliste qui **présente** les infos sur Canal +.*

1. De l'étranger, je n'arrive pas toujours à _____ les radios françaises, mais je _____ sur Internet et ça marche très bien.

2. Eurosport est une nouvelle chaîne qui _____ des émissions sportives sur plusieurs continents : elle _____ les grands matchs en direct.

3. Pendant les vacances, nous _____ à notre quotidien ; c'est tellement pratique de le recevoir juste à temps pour le petit déjeuner ! En revanche, je ne _____ pas du tout la télévision mais les enfants _____ leur feuilleton, et mon mari, lui, _____ la radio.

7. **Activité. Vous travaillez en groupes de trois. L'un(e) préfère la presse écrite, un(e) autre est adepte de la télévision, le/la troisième préfère écouter la radio. Organisez un débat pour défendre votre choix.**

20. LA POLITIQUE et LES CONFLITS SOCIAUX

■ *JOUR DE GRÈVE*

À la radio : Les principaux syndicats appellent les employés de la SNCF et de la RATP à faire grève le vendredi 23 novembre, suite à une déclaration du ministre des Transports. Hier, ce dernier a annoncé qu'il envisageait de reculer l'âge de la retraite. Pour les jours à venir, des manifestations sont prévues dans différents secteurs… Les députés siègeront dans la matinée pour discuter une nouvelle loi sur l'immigration…

Claude : Tu vois, on a bien fait de prendre notre retraite l'année dernière. Le nouveau gouvernement aurait bien été capable de nous faire travailler jusqu'à soixante-dix ans !

Annie : Allez, tu exagères. Moi ce qui m'ennuie, c'est que le 23 novembre, c'est le week-end où les enfants doivent venir, et comme il n'y aura pas de trains, ils vont annuler leur voyage !

Claude : Ne t'en fais pas, ils trouveront bien une solution pour venir. Moi, en tout cas, la politique, ça me dégoûte de plus en plus : pas un seul parti honnête ! Si j'avais su, je n'aurais pas voté aux dernières élections. Maintenant qu'il est président, il ne tient plus le même discours.

Annie : Tu n'avais qu'à faire comme moi : voter pour le candidat écologiste. Lui au moins, on pouvait lui faire confiance.

Claude : Tu sais bien ce que j'en pense, alors arrêtons-là la discussion. Je vais faire un tour au village et acheter le journal. Tu as besoin de quelque chose ?

◀ Écoutez et répondez aux questions suivantes.

1. Qu'est ce qu'on annonce pour le vendredi 23 novembre ?

_____

2. Pourquoi les syndicats appellent à des manifestations ?

_____

3. Claude et Annie sont retraités depuis combien de temps ?

_____

4. Pourquoi Annie est-elle inquiète ?

_____

5. Ces deux personnes ont-elles voté pour le même candidat aux dernières élections ?

_____

■ *MANIFESTATION*

 piste **39**

> **Thomas :** Tu vas à la manif demain ?
>
> **Louis :** Je ne pense pas, j'ai un examen d'économie à préparer.
>
> **Thomas :** Toi alors, qu'est-ce que tu es étriqué ! Si la loi passe, diplômé ou non, tu n'auras pas de travail. Tu ne te sens pas concerné par la précarité de l'emploi, la montée du chômage et la réduction des acquis sociaux ? Vraiment, tu me déçois !
>
> **Louis :** Oui, tu as peut-être raison. Finalement, je vais faire la manif.
>
> **Thomas :** Ah, quand même ! Allez, viens avec moi, je vais finir de préparer une banderole. Et il y a des tracts à distribuer.

◀€ Écoutez et répondez aux questions suivantes.

1. Le deuxième garçon n'a pas l'intention d'aller à la manifestation. Pourquoi ?

_____

2. La loi concernée est importante pour les étudiants : elle sera négative pour quel aspect social ?

_____

3. Cochez les deux actions que le deuxième garçon fera pendant la manifestation :

☐ organiser le parcours de la manifestation

☐ distribuer des tracts

☐ préparer une banderole

☐ informer les syndicats

4. Finalement le premier garçon participera-t-il à la manifestation ?

_____

▶ *Le système politique français*

■ La politique du pays est dirigée par le **président de la République** (élu), le **Premier ministre** (**nommé** par le président) et les **ministres** *(m)* (nommés par le Premier ministre). Le **Parlement** vote les **lois** *(f)* (= pouvoir **législatif**) et le **gouvernement** les fait appliquer (= pouvoir **exécutif**).
– Le gouvernement est composé de plusieurs ministres. Chacun est en charge d'un ou de plusieurs secteurs : l'Économie *(f)*, les Finances *(f)*, l'Emploi *(m)*, les Affaires étrangères, l'Éducation nationale, la Santé, la Jeunesse et les Sports, les Transports *(m)*…
– Le **Parlement siège** (= se réunit) pour discuter, **voter** puis **promulguer** (= rendre applicables) les lois. Il est formé de deux instances *(f)* : l'**Assemblée nationale** (= la Chambre des députés *[m]*, appelée aussi « l'hémicycle » *[m]*) et le **Sénat** (composé de **sénateurs**/-trices).

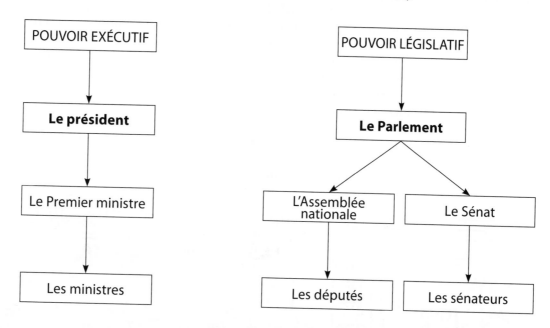

POUVOIR EXÉCUTIF	POUVOIR LÉGISLATIF

Le président → **Le Parlement**

Le Premier ministre

L'Assemblée nationale / Le Sénat

Les ministres

Les députés / Les sénateurs

■ Les Français **votent** pour **élire** le président de la République (= l'**élection** présidentielle), pour choisir les députés (= les élections législatives) et leur **maire** *(m)* (= les élections municipales).
Aux élections, plusieurs **candidats** (un/-e candidat/-e) se présentent, ils appartiennent généralement à plusieurs **partis** *(m)* politiques, allant de l'extrême droite *(f)* à l'extrême gauche *(f)*. Il peut y avoir aussi des candidats indépendants ou appartenant à une **liste** ou un mouvement comme les écologistes. Les candidats **mènent leur campagne** *(f)* pour rassembler le plus grand nombre d'électeurs ; ils présentent leur programme notamment lors de grands rassemblements *(m)* ou meetings *(m)*.
Pour être élu, le candidat doit **remporter** (= obtenir) la majorité des **voix** (une voix = un bulletin de vote *[m]*).
Le jour des élections, les **électeurs**/-trices se rendent à leur **bureau de vote** avec leur carte d'électeur. Après le passage dans l'**isoloir** *(m)*, ils déposent leur bulletin *(m)* dans une **urne** (= une boîte). Le soir, les bulletins sont dépouillés et on proclame les résultats. Lors d'une élection, il y a généralement deux **tours** *(m)* de **scrutin** *(m)* (= l'organisation du vote).

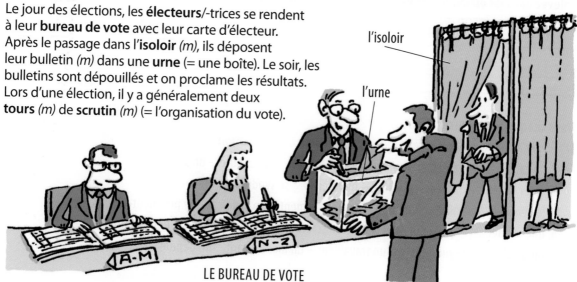

l'isoloir

l'urne

LE BUREAU DE VOTE

▶ *Les conflits sociaux*

■ Un **syndicat** est une organisation politique et sociale qui défend les intérêts des travailleurs. Lorsque les travailleurs ne sont pas satisfaits de leurs conditions de travail, ils ont la possibilité de se **syndiquer** (= de rejoindre un syndicat), pour exprimer leur mécontentement et **négocier** des **revendications** *(f)* (ce qu'ils demandent).

■ Les principales causes de **conflits** sont la montée du **chômage** *(m)* (= quand on n'a pas de travail), l'augmentation de la durée du travail hebdomadaire, le recul de l'âge de la **retraite**… Les employés recherchent une amélioration des conditions de travail et refusent de **revenir** sur (= remettre en cause) les avantages acquis (= déjà négociés).

Si le gouvernement et les syndicats ne tombent pas d'accord, cela peut entraîner des **conflits sociaux** :
– une **grève** = un arrêt volontaire du travail : faire (la) grève, un/-e **gréviste** ;
– une **manifestation** = les gens défilent massivement (= en grand nombre) dans la rue, pour exprimer une revendication ou un désaccord :
manifester, faire/suivre une manif *(familier)*, participer à une manifestation ; un/-e **manifestant**/-e ;
– une pétition (= une demande écrite adressée au gouvernement ou à une personne de pouvoir, signée par un grand nombre de gens).

■ Dans une manifestation, les **slogans** *(m)* ou les mots d'ordre (= phrases de revendication criées/scandées par les manifestants) sont repris sur des **banderoles** *(f)* (= grandes bandes de tissu imprimées de slogans et de revendications) et sur des **tracts** *(m)* (= papiers) distribués aux passants.
Les manifestants se trouvent parfois confrontés aux forces de l'ordre (= la police).

une banderole

une grève

une manifestation

---

1. **Relevez dans les dialogues les expressions liées à la politique et aux conflits sociaux.**

1. La politique	2. Les conflits sociaux

2. **Dans chaque série, barrez l'intrus.**

✒ *Exemple : une élection – un vote – un meeting – ~~une manifestation~~ – un programme*

    1. un candidat – un électeur – un maire – un ministre – un député – un sénateur

    2. voter – siéger – faire grève – élire – manifester – se syndiquer – négocier

    3. le Sénat – l'Assemblée nationale – le gouvernement – un syndicat – le président

    4. une banderole – un slogan – un tract – un scrutin – une manifestation – une pétition

    5. un gréviste – un syndicaliste – un travailleur – un manifestant – un député

3. **Associez les éléments pour faire des phrases.**

1. *Les syndicats…*	a. élisent leur maire.
2. L'Assemblée nationale…	b. cesse son travail pour exprimer son mécontentement.
3. Les députés…	c. promulguent une loi.
4. Un gréviste…	d. défilent dans la rue.
5. Le candidat…	e. dépouillent le scrutin.
6. Le président…	f. présentent leur programme.
7. Les citoyens…	g. siègera jeudi matin.
8. Les électeurs…	h. mène campagne.
9. Les manifestants…	i. nomme le Premier ministre.
10. Les partis politiques…	j. *défendent les droits des travailleurs.*

4. **Associez les expressions de sens proche.**

1. *signer une pétition*	a. rejoindre une association de défense des travailleurs
2. siéger	b. cesser le travail
3. promulguer une loi	c. faire le compte des bulletins de vote
4. manifester	d. répéter une phrase dans une manifestation
5. nommer un ministre	e. choisir par un vote
6. reprendre un mot d'ordre	f. descendre dans la rue pour exprimer un désaccord
7. élire	g. rendre une loi officielle et apte à être appliquée
8. se syndiquer	h. se réunir pour prendre une décision
9. dépouiller un scrutin	i. *rédiger une plainte collective*
10. se mettre en grève	j. désigner un membre du gouvernement

5. **Complétez les phrases avec les mots suivants à la forme qui convient.**

*tract – manifestation – banderole – pétition – grève – **conflit** – syndicat – manifestant – revendication*

✍ *Exemple : Depuis la rentrée parlementaire, la France est agitée par de nombreux **conflits** sociaux qui touchent plusieurs secteurs de l'économie.*

1. Les principaux _____ d'enseignants appellent à un mouvement de _____ dans les écoles primaires le jeudi 12 mars.

2. Une grande _____ réunissant un millier d'étudiants défile actuellement dans les rues. Leurs principales _____ concernent l'amélioration des locaux des universités et le vote d'un budget pour la recherche scientifique.

3. Les _____ défilent depuis une heure, brandissant des _____ et distribuant des _____ aux passants pour les sensibiliser à leur cause.

4. Si vous vous sentez concernés par le projet de loi concernant le nucléaire, vous pouvez nous soutenir en signant notre _____ sur le site www.non_au_nucleaire.com.

6. **Activité. Vous exposez à votre voisin(e) le système politique de votre pays. Il/elle joue le rôle d'un(e) étranger(ère) et vous pose des questions. Vous lui posez ensuite des questions sur les principaux sujets de conflits sociaux dans son pays.**

21. LES ARTS et LA CULTURE

■ *UN ÉTÉ DE FESTIVALS*

Hélène : Cet été, j'irais bien au festival d'Avignon. Je n'y suis encore jamais allée et j'aimerais voir quelques pièces de théâtre, des spectacles de rue et, pourquoi pas, du mime. Ils présentent des créations tout à fait inédites et il paraît qu'il y a une ambiance extraordinaire. Et puis, c'est dans un cadre magnifique. Ça te dirait ?

Manon : J'aurais bien aimé, mais j'ai déjà des projets pour l'été : un ami photographe m'a proposé d'aller à Arles, pour découvrir les Rencontres de la Photographie. De très grands photographes exposent chaque année. En même temps, il y a des concerts de musique africaine avec des chanteurs, des groupes. Le programme m'a l'air très bien : il y a Manu Dibango, le célèbre saxophoniste, qui donne un concert de jazz et je voudrais vraiment y assister ! Mon ami habite près d'Arles dans une grande maison, tu pourrais peut-être passer. Je vais lui en parler.

Hélène : Si ces rencontres ont lieu en juillet aussi, pourquoi pas ? Ce serait sympa : d'abord du théâtre puis de la photo et de la musique africaine. Quel été culturel ! Ça me tente bien. Et les dates coïncident ?

Manon : Les Rencontres d'Arles durent tout l'été. Mais as-tu déjà des réservations pour des spectacles à Avignon ? et pour te loger ? Je crois qu'il y a foule.

Hélène : Heu, non. Je vais m'en occuper très vite… mais j'aurais quand même bien aimé que tu viennes à Avignon avec moi !

◀€ **Écoutez et complétez le tableau avec les projets de chacune des femmes :**

le Festival d'Avignon – des spectacles de mime – un concert de jazz – des pièces de théâtre – des expositions de photographies à Arles – des spectacles de rue – un logement chez un ami – pas encore d'hébergement.

Hélène	Manon

■ *LA BIENNALE D'ART CONTEMPORAIN*

 piste **41**

Aurore : Mon frère est invité à la Biennale d'Istanbul cet automne. Je crois que je vais y aller pour l'aider à installer ses toiles.

Camille : Dis donc, c'est super ! Il commence à être connu !

Aurore : Oui, il fait partie d'un groupement de jeunes artistes contemporains. Ils font maintenant beaucoup d'expositions en France et à l'étranger, dans des galeries, des musées, des centres culturels.

Camille : Il y a seulement des peintres, dans cette association ?

Aurore : Non, il y a aussi des sculpteurs, des artistes vidéo, des photographes et même des dessinateurs de BD.

Camille : Et ils vont tous à Istanbul ?

Aurore : Non, certaines œuvres ont été sélectionnées. Mais il y aura des créations du monde entier. Ça aura lieu au musée d'art contemporain, dans un espace immense. Je pense que ça va être très intéressant.

Camille : Ça me tenterait bien aussi de venir vous aider !

◀⠇ **Écoutez et cochez les phrases vraies.**

☐ Le frère d'Aurore est peintre.

☐ Il va exposer seul à Istanbul.

☐ Dans l'association de jeunes artistes contemporains, il y a des peintres, des sculpteurs et des artistes vidéo.

☐ Tous les artistes de l'association présenteront leurs œuvres.

☐ C'est une exposition internationale.

☐ Aurore va peut-être aider son frère à présenter ses peintures.

un chevalet

des pinceaux *(m)*

une palette

▸ *Les arts* (m)
Les arts comme la musique, le chant, la danse, la peinture, la sculpture peuvent s'apprendre dans un **conservatoire**. La peinture, le dessin et la sculpture s'étudient et se travaillent dans une école d'art ou dans un **atelier**.

■ **La musique**
une **symphonie** (= une œuvre musicale pour un orchestre, assez longue et composée de plusieurs mouvements)
un **concert** (donné par un ou plusieurs **artistes**) de musique classique, de jazz
un **récital** (= un seul artiste joue ou chante)
Un **orchestre** (= un grand nombre d'instrumentistes différents) est dirigé par un **chef d'orchestre**.
un morceau en solo/un **solo** (= par un seul musicien/un(e) **soliste**), un duo, un trio (= trois musiciens jouent ensemble)
un **opéra** (= une œuvre musicale chantée, mise en scène et orchestrée)
un **virtuose** = un musicien exceptionnel
– Les **musiciens** jouent d'un instrument (un/-e musicien/-enne) :
un/-e pianiste joue du piano ; un/-e violoniste joue du violon ;
un batteur joue de la batterie…
un/-e violoncelliste, un/-e contrebassiste,
une harpiste, un/-e flûtiste, un saxophoniste, un/-e guitariste,
un trompettiste, un bassiste

un batteur
une flûtiste   un violoncelliste

■ **Le chant**
donner un concert, un récital, **interpréter** une œuvre musicale, **partir en tournée** (= donner des concerts successifs dans plusieurs lieux)
un/-e chanteur/-euse de variétés (= chansons à textes, souvent populaires), un chanteur d'opéra/une **cantatrice** (= opéra ou chant classique), un **chœur**/une **chorale** (= un ensemble de chanteurs/**choristes**)

■ **La danse**
un **ballet** (dansé par plusieurs danseurs et danseuses), un spectacle de danse classique contemporaine
Un **ballet** (= une chorégraphie) est dirigé et monté par un/-e **chorégraphe**.
une danseuse **étoile** = dans une troupe/un ballet, la danseuse la plus connue et la meilleure
une **ballerine** = une danseuse classique
un (petit) **rat** = une très jeune élève danseuse

■ **Le théâtre**
une **pièce**, une **tragédie** (classique), un **drame** (souvent tragique), une **comédie** (amusante)
Les **rôles** sont interprétés/joués par des acteurs/-trices ou des comédiens/-iennes sous la direction d'un **metteur en scène** qui **monte** une pièce.
un **décor** (fait par des décorateurs/-trices et actionné par des machinistes), des costumes *(m)* (faits par des costumières), des **éclairages** *(m)* (créés par des éclairagistes)

■ **Le cinéma**
Un film, un **court métrage** (= un film très court) sont **tournés** par un/-e **réalisateur**/-trice, avec des **acteurs**/-trices entourés de **figurants**/-tes (= jouant de très petits rôles), des décorateurs, des éclairagistes.
Le **caméraman** fait les prises de vue. L'ingénieur du son s'occupe des enregistrements et des montages sonores. Les films sont ensuite donnés/diffusés/**projetés** (par un/-e projectionniste) dans les salles de cinéma.

■ **Les arts** *(m)* **plastiques**
le **dessin**, la **peinture**, la **sculpture**, la **photographie**
Les œuvres sont exposées lors de salons ou d'**expositions** *(f)* dans une galerie ou un centre d'art, qui débutent par un **vernissage** (= sorte de cocktail).

– Le dessin, la peinture
un **peintre**, un **dessinateur**, un aquarelliste
peindre, dessiner, faire un **croquis** (= un dessin rapide), une **ébauche**
la peinture à l'huile, l'aquarelle (= la peinture à l'eau), un dessin à l'encre
Le matériel : un pinceau, une palette, un chevalet, des tubes/pots de peinture, des crayons, une plume (pour l'encre)
peindre une **toile**, une **peinture**, un **tableau** (figuratif ≠ abstrait)
une **nature morte** (= une peinture d'objets), un **portrait** (d'une personne), un nu (= une personne nue), un paysage, une marine (= un paysage marin)
Les peintures sont souvent présentées dans un **cadre**.
– La photographie, la photo
un/-e photographe
photographier
prendre/faire une photo/un **cliché** (à partir duquel on produit un **tirage**, une photo)
– La sculpture (= une œuvre en trois dimensions)
un **sculpteur**
sculpter une **statue**, une **statuette**, une **figurine** (de petites dimensions) dans un bloc de pierre, un morceau de bois

▶ *Les événements culturels*

une **conférence**, donner une conférence
un/-e conférencier/-ière
une exposition de peinture, de sculpture, de photographies, de livres d'art
un concert (de musique *[f]* classique,
de jazz *[m]*, de blues *[m]*, de rock *[m]*, de musique pop)
un spectacle de **variétés** (avec des chanteurs et des attractions/numéros varié[e]s)
un **opéra** (une œuvre dramatique chantée et orchestrée)
une pièce de théâtre

des acrobates

un spectacle de **cirque** avec des acrobates *(m/f)*, des clowns *(m)*, des dompteurs *(m)* d'animaux
un spectacle de **mime** *(m)* (= muet, où les actions sont exprimées par les gestes et l'expression corporelle du mime)
une **projection** de film
une visite (guidée ou non par un/-e guide ou un/-e conférencier/-ière) dans un musée, un château
un **festival** = le regroupement, sur une courte période, de plusieurs œuvres musicales, théâtrales ou cinématographiques
une **biennale** = une exposition qui a lieu tous les deux ans

---

1. **Retrouvez dans les dialogues les artistes, les événements et les lieux artistiques.**

1. Artistes	2. Événements artistiques	3. Lieux artistiques
_____	_____	_____

2. **Dans chaque série, barrez l'intrus.**

✍ *Exemple : un saxophoniste – une pianiste – un violoniste – ~~un choriste~~ – une guitariste*

1. un peintre – un sculpteur – une dessinatrice – une ballerine – une aquarelliste

2. un acteur – une comédienne – un metteur en scène – un rôle – un éclairagiste – un décorateur

3. monter – diriger – interpréter – décorer – chanter – sculpter – jouer

4. un concert – un chanteur – un musicien – une symphonie – un orchestre – une chorégraphie – un chœur

3. **Retrouvez la fin de ces phrases.**

1. *Ces musiciens...*
2. Le réalisateur...
3. Ce sculpteur...
4. Le rôle...
5. L'exposition...
6. Le festival...
7. Le ballet...
8. Les musiciens...
9. Ce peintre...
10. Cette danseuse étoile...
11. La jeune actrice...

a. présente des photos inédites de Cartier-Bresson.
b. était interprété par Isabelle Adjani.
c. interprètent actuellement un morceau de Mozart.
d. programme un grand nombre de documentaires.
e. a tourné ce film en quatre semaines.
f. est la fille du chorégraphe.
g. m'a invité au vernissage de sa nouvelle exposition.
h. est monté par l'Opéra de Paris.
i. vient de finir le conservatoire d'art dramatique.
j. *sont dirigés par un grand chef d'orchestre.*
k. crée des statuettes en bois de toute beauté.

4. **Complétez ces phrases avec les expressions suivantes à la forme correcte.**

*acteur – **figurine** – festival – mime – rat – exposition – toile – opéra – comédie – décor – figurant – scène*

✎ *Exemple : Je trouve ces **figurines** en ivoire très gracieuses.*

1. Mes amis n'ont pas beaucoup aimé le jeu des _____ mais ils ont apprécié les _____ très adaptés à la pièce.
2. Quand la chanteuse est montée sur _____, elle s'est fait applaudir.
3. Dans le ballet, ma fille a plus aimé les petits _____ que la danseuse étoile.
4. Cet artiste fait des _____ immenses. On se demande qui a un appartement assez grand pour les accrocher !
5. Ce film devait avoir un budget énorme. Tu as remarqué le nombre de _____ ?
6. Je ne veux en aucun cas manquer l'_____Courbet qui aura lieu au Grand Palais.
7. J'aimerais bien assister à un _____ et découvrir l'art lyrique.
8. Pour changer du cirque, j'emmènerais bien les enfants voir un spectacle de _____
9. Cet été, il y aura un grand _____ de films noirs. On pourrait y aller, non ?
10. J'en ai assez des films dramatiques, allons voir une _____ pour une fois !

5. **Qui est-ce ?**

✎ *Exemple : C'est une personne très douée et c'est aussi un remarquable musicien. → **un virtuose***

1. C'est à la fois une danseuse et une chaussure légère de femme. → _____
2. Dès son plus jeune âge, elle danse mais c'est aussi un rongeur peu sympathique. → _____
3. Elle luit dans le ciel et donne de la valeur à un ballet. → _____
4. Il dirige un orchestre comme la cuisine d'un grand restaurant. → _____
5. Sur la scène comme à l'écran, il joue un rôle. → _____

6. **Activité. Vous avez assisté à un spectacle, vous êtes allé à une exposition qui vous a enthousiasmé. Vous en parlez avec un ami qui ne l'a pas vu(e). Curieux, il vous pose des questions sur l'œuvre, les artistes, l'organisation de l'événement. Vous lui répondez en lui donnant envie d'y aller.**

1. Quelle est la forme de ces objets ?

✎ *Exemple : Une boîte de 30 cm de côté est **cubique**.*

1. Une boîte à chaussures est _____ .

2. Une boîte de conserve est _____ .

3. Une balle de tennis est _____ .

4. Une cloche est _____ .

5. Un œuf est _____ .

6. Une assiette est _____ .

2. Dites le contraire.

✎ *Exemple : Ce gâteau est écœurant. → Il est **appétissant**.*

1. Cette boisson est amère. → _____

2. Cette pâte est onctueuse. → _____

3. Ces biscuits sont moelleux. → _____

4. Cette soupe est relevée. → _____

5. Ce thé est savoureux. → _____

6. Cette viande est dure. → _____

3. Complétez les phrases avec les expressions suivantes à la forme correcte.

alourdir – raccourcir – élargir – soupeser – mesurer – alléger

1. Il faudrait que tu _____ ton sac ; retire un ou deux livres, il sera moins lourd.

2. J'ai un peu grossi, il faudrait que vous _____ cette jupe de quelques centimètres.

3. L'emballage _____ considérablement votre colis. Trouvez une boîte en carton plutôt que cette caisse en bois.

4. Peux-tu _____ ce colis ? À ton avis, il fait plus d'un kilo ?

5. Ce pantalon est trop long, pourriez-vous le _____ de cinq centimètres ?

6. Je voudrais _____ ce tapis pour savoir s'il n'est pas trop grand pour notre salon.

4. Quelle est leur profession ?

1. Elle dirige un magazine et décide des sujets à traiter. → _____

2. Il fait des dessins humoristiques sur l'actualité. → _____

3. Elle présente le journal à la télévision. → _____

4. Il présente une émission à la radio. → _____

5. Elle vend la presse. → _____

5. Qu'est-ce que c'est ?

1. C'est la première page d'un journal. → _____

2. C'est un court article qui donne une idée d'ensemble du contenu du journal ou du magazine.

→ _____

3. C'est un article ou une information télévisée sur un événement actuel dont le journaliste a été témoin.

→ _____

4. C'est un dessin satirique qui exagère certains traits ridicules. → _____

5. C'est une émission télévisée diffusée en plusieurs fois dont chaque partie raconte un tout.

→ _____

6. C'est l'ensemble qui permet de diffuser un programme de radio. → _____

6. Complétez les phrases avec les expressions suivantes à la forme correcte.

élire – promulguer – mener – dépouiller – se syndiquer – siéger – revendiquer

1. L'entreprise risque de licencier du personnel ; pour qu'on puisse défendre tes droits, tu devrais peut-être

_____ .

2. Vous ne pouvez pas visiter l'Assemblée nationale aujourd'hui, les députés _____

toute la journée.

3. Quand tous les bulletins _____, on proclamera le résultat des élections.

4. La loi concernant l'autonomie des universités _____ en août 2007, depuis la gestion

des universités a totalement changé.

5. Trois mois avant les élections, tous les candidats _____ campagne : des meetings

sont organisés dans les grandes villes.

6. Au printemps prochain, nous _____ notre maire pour six ans.

7. Les employés sont en grève ; ils _____ de meilleures conditions de sécurité.

7. Complétez ces phrases avec les expressions suivantes à la forme correcte.

projeter – exposer – mimer – interpréter – monter – partir en tournée – orchestrer

1. Hier soir, nous sommes allés voir un spectacle tout à fait original sur les fables de La Fontaine : les

acteurs _____ sans un mot les situations et c'était très bien rendu !

2. Mon ami _____ ses dernières toiles dans une petite galerie. Tu viens au vernissage

avec moi ?

3. Nous allons voir *Le Dictateur*, tu viens, c'est rare qu'on _____ ce vieux film.

4. Après _____ de juin à décembre 2007, Henri Salvador, un grand chanteur français,

est mort en février 2008 à l'âge de 90 ans.

5. Pour les jeux Olympiques de 2008, la compagnie Zingaro _____ un spectacle

équestre à Hong Kong.

6. La nouvelle de Prosper Mérimée, *Carmen*, a été _____ par Georges Bizet.

7. Dans le film *Barrage contre le Pacifique*, inspiré du roman de Marguerite Duras, Isabelle Hupert

_____ le rôle de Mme Dufresne, la mère volontaire.

22. L'ARGENT et LA BANQUE

■ *DANS UN BUREAU DE CHANGE*

 piste **42**

> **Le client :** Bonjour madame, je voudrais acheter des dollars américains. Quel est le cours aujourd'hui ?
>
> **L'employée :** Pour un euro vous avez un dollar treize.
>
> **Le client :** Je vois que le dollar a bien remonté. Je voudrais changer 500 euros. Vous prenez une commission ?
>
> **L'employée :** Non. Vous voulez des grosses coupures ?
>
> **Le client :** Je préfère des billets de 20, 50 et 100 dollars.
>
> **L'employée :** Bien monsieur ; Donnez moi seulement 496 euros, ça vous fait 560 dollars et je vous rends quatre euros. Nous n'avons pas de pièces étrangères.
>
> **Le client :** C'est parfait, merci. Au revoir madame.

◀ Écoutez et cochez les phrases vraies.

☐ Le cours du dollar américain a monté.

☐ Le client veut acheter 500 dollars.

☐ Il n'y a pas de frais de change à payer.

☐ Le client préfère des petites coupures.

☐ L'employée ne peut pas rendre la monnaie en pièces étrangères.

■ *L'ARGENT DE POCHE*

 piste **43**

> **Thomas :** Maman, tu peux me donner mon argent de poche ?
>
> **La mère :** Mais le mois n'est pas fini ; tu as déjà tout dépensé ?
>
> **Thomas :** Oui, j'ai acheté des tickets de métro, je suis allé deux fois au cinéma et le prof de géographie nous a demandé un stylo spécial pour écrire sur les cartes. C'était super cher !
>
> **La mère :** Bon, voilà 10 euros pour finir le mois mais je ne te donnerai rien de plus ! Débrouille-toi et essaie d'être un peu plus économe !
>
> **Thomas :** Merci Maman, mais tu sais, je fais très attention !
>
> **La mère :** Hum, je crois plutôt que tu es un panier percé !

Écoutez et répondez aux questions suivantes.

1. L'enfant reçoit normalement son argent de poche à quel moment ?

_____

2. Quelles dépenses a-t-il faites ce mois-ci ?

_____

3. Combien lui donne sa mère en complément ?

_____

4. La mère pense que son enfant est très économe ? Que dit-elle ?

_____

■ UN EMPRUNT

 piste **44**

(Dans une banque.)

Le banquier : Bonjour Monsieur Labet, qu'est-ce qui vous amène ?

Le client : Voilà, ma femme et moi, nous voudrions acheter une résidence secondaire. Bien sûr, je dois emprunter. Que me conseillez-vous ?

Le banquier : Actuellement, nous avons un emprunt à 3,5 %, c'est très intéressant. De combien d'argent avez-vous besoin ?

Le client : La maison coûte 90 000 euros. Je crois que nous disposons de 40 000 euros, mais c'est à vérifier. Il nous faudrait donc emprunter environ 50 000 euros.

Le banquier : Bon, je vais préparer votre dossier et je vous appelle.

Écoutez et complétez le dossier de Monsieur Labet.

Projet	
Taux de l'emprunt	
Montant de l'achat	
Avoir disponible	
Somme à emprunter	

▶ VOIR AUSSI CHAPITRE 23 « LES OBJETS PERSONNELS »

▶ *L'argent*

On peut payer/**régler** en argent *(m)* liquide/en **espèces** *(f)*/(en) cash, par chèque ou par carte bancaire.

■ L'argent liquide

Chaque pays a sa **monnaie,** sa **devise** mais dans beaucoup de pays d'Europe, on paie en euros. Il y a des **billets** *(m)* (en papier) de 100, 50, 20, 10 et 5 euros et des **pièces** *(f)* (en métal) de 2 euros et 1 euro,
de 50, 20, 10, 5, 2 centimes et 1 centime (d'euro).

un billet
de 50 euros

une pièce de 2 euros

Quand on n'a pas la somme exacte, le vendeur vous **rend la monnaie.**
■ Quand on **paye par chèque** *(m)* (= on fait un chèque), on utilise un **chéquier** (= un carnet de chèques) ; souvent, on doit présenter une pièce d'identité. Il faut **remplir** le chèque avec le **montant** (= la somme) à payer, en lettres et aussi en chiffres, indiquer l'**ordre** *(m)* (= la personne à payer), et enfin le dater et le **signer.**

■ **Les cartes** *(f)* **bancaires** sont très courantes en France. Pour les utiliser, il faut **composer** un **code** confidentiel (= secret). Elles permettent de payer des achats et de **retirer** de l'argent

un distributeur
(automatique)

une carte bancaire

dans des distributeurs *(m)* (automatiques) de billets (= guichets *[m]* automatiques).
Certains commerçants refusent les **paiements** *(m)*/règlements *(m)* par chèque et par carte bancaire au-dessous d'une certaine somme.
Pour les petits achats, le client reçoit un **ticket** de caisse, comme preuve de son paiement.
Il peut aussi demander un **reçu.** Pour les gros achats, il reçoit une **facture.**
Le **devis** est un document indiquant le prix à payer, avant une réparation ou des travaux par exemple.

■ Le rapport à l'argent

Quand on a beaucoup d'argent, on est **fortuné**/très riche. Avec un peu moins d'argent, on est **aisé**/ à l'aise. Quand on n'en a pas ou très peu, on est pauvre, **démuni,** dans le **besoin.**
Quand on fait des économies, on **économise,** on met de l'argent de côté, on **épargne** = on est économe.
Quand on **dépense** beaucoup, on **gaspille** l'argent, on est **dépensier** on est **avare**/(familier), **radin** (= quand on veut garder son argent et en avoir plus).
généreux (= qui donne facilement) avare, regardant/(familier) radin, près de ses sous.

▶ *La banque*

■ Dans une banque, les **employés** travaillent aux **guichets** *(m)*, les **conseillers financiers** et les **banquiers** travaillent dans des bureaux.
Les clients qui ouvrent un **compte** (bancaire) peuvent **déposer** (= mettre) de l'argent liquide ou un chèque sur leur compte, **verser/virer** (par versement *[m]*/virement *[m]*) de l'argent d'un compte à un autre. Ils peuvent aussi retirer de l'argent au guichet ou au **distributeur**.

Le compte est **crédité** quand on ajoute de l'argent ≠ il est **débité** quand on retire de l'argent.
Un compte est **alimenté** ≠ **déficitaire**/à découvert (= quand il n'y a plus d'argent dessus).
Lorsque le compte est **à découvert**, on est « en rouge/dans le rouge » et on paie des **agios** *(m)* (= des intérêts pris par la banque).

■ On est **en dette** *(f)* envers quelqu'un quand on lui **doit** de l'argent = on est **endetté/-e**.
Quand on a besoin d'argent, le capital est alors insuffisant, on peut **faire un emprunt** ou **demander un prêt** à la banque. Chaque mois, on **rembourse** une partie du capital emprunté et on paie des **intérêts** *(m)*.

■ Quand on a de l'argent dont on n'a pas besoin, on peut le **placer** (= faire un placement qui rapporte des intérêts chaque mois), par exemple sur un compte épargne. On peut aussi acheter des **actions** à la Bourse. La **cote** (= la valeur en Bourse) des actions peut **monter** ou **baisser**.

■ Quand on voyage, il faut changer de l'argent, acheter des **devises** *(f)* **étrangères**.
On peut faire ces opérations à la banque ou dans un **bureau de change**.

▶ *Pour aller plus loin*

être fauché/-e (= ne pas avoir d'argent) être plein/pleine aux as (= être très riche, être fortuné/-e)
faire un bas de laine = faire des économies, mettre de l'argent de côté
jeter l'argent par les fenêtres, être (un) panier percé = dépenser sans compter, gaspiller (= acheter des choses inutiles)

1. **Relevez dans les dialogues les expressions en rapport avec l'argent.**

1. Noms	2. Verbes

2. **Dans chaque série, barrez l'intrus.**

✎ Exemple : riche – **démuni** – aisé – fortuné – richissime – plein aux as

1. sans le sou – dans le besoin – démuni – fauché – pauvre – fortuné
2. regardant – dépensier – avare – économe – radin – près de ses sous
3. débiter – retirer – emprunter – placer – demander un prêt – rembourser
4. une dette – un versement – un emprunt – un prêt – un paiement – un retrait – un change

3. **Associez les expressions de sens contraire.**

1. **fortuné** ⟶ a. **démuni**   5. créditer   e. économiser
2. radin   b. riche   6. emprunter   f. retirer
3. pauvre   c. dépensier   7. dépenser   g. rembourser
4. économe   d. généreux   8. déposer   h. débiter

4. **Mettez en relation les expressions de sens proche.**

1. *rembourser un emprunt*
2. faire un virement
3. faire un retrait
4. faire un emprunt
5. placer de l'argent
6. acheter des devises étrangères
7. être endetté
8. économiser
9. être en rouge

a. demander un prêt
b. mettre de l'argent de côté
c. devoir de l'argent
d. ne plus avoir d'argent en banque
e. acheter des actions en bourse
f. retirer de l'argent
g. *payer chaque mois pour de l'argent emprunté*
h. transférer de l'argent sur un compte
i. changer de l'argent

5. **Complétez les phrases par les expressions suivantes à la forme correcte.**

*emprunter – signer – **placer** – virer – remplir – retirer – alimenter – rembourser – économiser*

🖉 *Exemple : Ma grand-mère est assez fortunée et elle **place** son argent en bourse.*

1. Pour acheter notre voiture, nous avons dû _____ 5 000 euros à la banque. Chaque mois, nous _____ 565 euros, intérêts compris.
2. Mon salaire est assez important, il est _____ chaque mois sur mon compte. Mais je n'arrive pas à _____ .
3. Chaque mois, j'_____ mon compte bancaire mais, comme je _____ souvent de l'argent, à la fin du mois, je suis complètement fauchée.
4. _____ le chèque et n'oubliez pas de le _____ .

6. **Lisez ces phrases et retrouvez la réplique possible.**

1. *Mon compte est à découvert.*
2. Je suis complètement fauché.
3. Tu jettes vraiment l'argent par les fenêtres !
4. Savez-vous où je peux trouver un distributeur ?
5. Ma grand-mère a mis de l'argent de côté toute sa vie.
6. Mon fils est un vrai panier percé !

a. Évidemment, toi, tu n'achètes jamais rien !
b. À son époque, c'était normal de se faire un bas de laine !
c. Oui, au coin de la rue, après le tabac.
d. Allez, toi aussi, tu dépensais beaucoup à son âge !
e. Est-ce que tu veux que je te prête un peu d'argent ?
f. *Va vite déposer ce chèque à la banque sinon tu vas avoir des ennuis.*

7. **Activité. Vous êtes étranger(ère). Vous voulez ouvrir un compte bancaire en France. Vous demandez à l'employé(e) comment faire. Vous recevrez des virements en devises étrangères et vous aimeriez avoir une carte bancaire et un chéquier. Demandez également le cours du change avec votre monnaie.**

23. LES OBJETS PERSONNELS

■ AU COMMISSARIAT DE POLICE

 piste **45**

L'agent : Bonjour madame, que puis-je faire pour vous ?

La femme : Bonjour madame, voilà, ce matin j'ai oublié mon sac à main dans le bus. C'est très ennuyeux car il y a dedans mon portefeuille, mes clés et d'autres choses. Est-ce qu'on vous l'a rapporté ?

L'agent : Non, désolée madame, il faut souvent attendre plusieurs jours. Mais vous devez faire une déclaration de perte. Remplissez d'abord ce formulaire et ensuite, je vais vous aider.

(Quelques minutes plus tard.)

L'agent : Merci. Bon, alors, décrivez-moi votre sac et son contenu.

La femme : Il est marron, en cuir, assez grand, avec deux poches extérieures. À l'intérieur, il y a un portefeuille rouge avec mon permis de conduire, ma carte d'identité et ma carte bancaire, un petit porte-monnaie, mon carnet de chèques ainsi que des photos. Il y a aussi mes clés de maison et celles du bureau, mon téléphone portable.

L'agent : Y a-t-il d'autres choses ?

La femme : Oui, mon agenda, avec toutes mes adresses… un stylo en argent, mon étui à lunettes, une petite trousse de maquillage avec un miroir, mon abonnement de transport, attendez que je réfléchisse… Oui, il y a aussi un parapluie pliant, des cigarettes et un briquet… ah oui, j'oubliais, il y a aussi mes gants et mon livre.

L'agent : Bon, vous avez bien noté vos coordonnées ? Si on rapporte votre sac, je vous appelle mais vous savez, les gens ne sont pas toujours honnêtes…

La femme : Allez, je vais être optimiste. Je vous remercie et j'espère vraiment que vous m'appellerez bientôt. Merci de votre aide. Au revoir, bonne journée.

L'agent : Au revoir madame.

◀╪ **Écoutez et répondez aux questions suivantes.**

1. Où et quand la femme a-t-elle perdu son sac ?

_____

2. Comment est son sac ? Barrez ce qui ne correspond pas :

noir – marron – en cuir – en toile – avec un poche – deux poches extérieures

3. Barrez ce qu'il n'y pas dans son sac :

des clés - un téléphone - un porte monnaie - un portefeuille - un magazine - un plan de la ville - une trousse de maquillage - un parapluie pliant - un porte carte - un foulard

4. Que doit faire la femme au commissariat ?

_____

5. A-t-on retrouvé son sac ?

_____

■ *BONNE NOUVELLE*

🔊 piste **46**

> **Le mari :** Bonsoir, ma chérie, tu as passé une bonne journée ?
>
> **La femme :** Horrible ! Tu sais, ce matin, j'ai oublié mon sac dans le bus…
>
> **Le mari :** Et bien sûr, il y avait à l'intérieur tes clés, ton portefeuille, plus tout le reste…
>
> **La femme :** Évidemment, comment veux-tu faire autrement ? Toi, dans ta sacoche, tu as aussi ton ordinateur portable et ton agenda, non ?
>
> **Le mari :** C'est vrai, mais mon chéquier, mon portefeuille et mes clés sont toujours dans ma poche. Je ne risque pas de les perdre !
>
> **La femme :** Oh, tu m'énerves, tu veux toujours avoir raison !
>
> **Le mari :** Allez, ne te fâche pas. Le commissariat vient d'appeler, on a retrouvé ton sac. Tu peux passer le chercher demain. Je crois que tu as beaucoup de chance !

🔊 **Écoutez et associez les objets aux endroits où le mari les range :**

l'ordinateur portable – le portefeuille – l'agenda – le chéquier – les clés.

La poche de veste	
La sacoche	

Quelle est la bonne nouvelle ?

_____

En ville, en voyage, on garde en général certains objets très importants dans un **sac** (à main pour les femmes), ou dans une **sacoche**, un attaché-case ou un **porte-documents**/une **serviette**.

▶ *Dans la vie quotidienne*

■ Tout le monde a un **portefeuille** qui contient les **papiers** *(m)* **d'identité** (la carte d'identité ou le passeport), le permis de conduire, la carte bancaire (ou une autre **carte de crédit** pour payer quand on n'a pas d'argent liquide), de l'argent (des billets), peut-être des photos et d'autres documents variés (une attestation d'assurance, une carte d'assuré social, des titres *(m)* de transport, des cartes de visite…).

On a aussi un **porte-monnaie** pour mettre les **pièces** de monnaie et parfois les billets (de banque). Souvent, on a aussi avec soi un **chéquier** (= un carnet de chèques).

On garde également avec soi un trousseau de clés *(f)* (pour la maison, la boîte aux lettres, la voiture…), un stylo, un mouchoir ou un paquet de mouchoirs en papier, un paquet de chewing-gums *(m)*, une boîte ou un paquet de bonbons *(m)*…

un passeport

un trousseau de clés

un porte-monnaie

un agenda

un parapluie

une sacoche

■ Beaucoup de gens ont également en permanence avec eux un **téléphone portable** et un **agenda** où on note chaque jour les rendez-vous.

On peut aussi avoir un **répertoire** (= un carnet d'adresses) où on note les coordonnées des gens (nom, adresse, numéro de téléphone et adresse électronique ou courriel) ou encore un simple **carnet**.

■ En plus de ces objets très courants, on peut garder avec soi, selon la saison, un **étui à lunettes** (de vue ou de soleil), des **gants** *(m)*, un **parapluie**, un foulard, une écharpe.

Les fumeurs ont un paquet de cigarettes *(f)* avec un **briquet** ou une boîte d'allumettes *(f)*.

Les femmes ont souvent dans leur sac une **trousse de maquillage** *(m)* avec un miroir de poche, un peigne et quelques produits de maquillage (un bâton de rouge à lèvres, un poudrier, un vaporisateur de parfum, une lime à ongles).

un briquet

une trousse de maquillage

une trousse de toilette

▶ *Pour voyager*

Quand on part en voyage, on emporte un **sac de voyage** ou une valise, pour ranger une **trousse de toilette**, des vêtements, des chaussures, des livres, un ordinateur portable, un guide touristique…

Quand on perd son sac ou un bagage, on peut aller au bureau des objets trouvés pour demander si quelqu'un a trouvé et rapporté l'objet perdu. Il faut parfois faire une déclaration de perte.

▸ **Quelques expressions**

ouvrir ≠ fermer un parapluie
mettre ≠ enlever des lunettes, des gants
perdre, oublier, chercher ≠ (re)trouver un objet
prendre ≠ laisser un sac, une valise, un bagage
allumer ≠ **éteindre/couper** son portable
retirer de l'argent/**faire un retrait** à un distributeur de billets
payer avec une carte bancaire, par chèque ≠ payer en espèces (f)
faire (= remplir et signer) un chèque
donner de la monnaie
présenter un papier d'identité, un titre de transport (pour le bus, le métro, le train)
allumer ≠ éteindre une cigarette
donner/**offrir** du feu (avec un briquet ou une allumette)
se remaquiller, se recoiffer, se refaire une beauté
donner sa carte de visite

1. **Recherchez dans les deux dialogues les objets quotidiens appartenant aux femmes, à tout le monde.**

1. Aux femmes	2. À tout le monde
_____	_____

2. **Barrez l'intrus et indiquez le genre des noms.**

✎ *Exemple : parapluie (M) – **chaussures** (F) – portefeuille (M) – trousse de maquillage (F)*

1. portefeuille _____ – porte-monnaie _____ – carte de visite _____ – chéquier _____

2. agenda _____ – répertoire _____ – stylo _____ – carnet _____ – chéquier _____

3. carte d'identité _____ – carte bancaire _____ – permis de conduire _____ – passeport _____

4. miroir _____ – trousse de maquillage _____ – agenda _____ – peigne _____

5. gants _____ – parapluie _____ – lunettes de soleil _____ – portable _____ – foulard _____

3. **Complétez les phrases avec les expressions suivantes à la forme correcte.**

*étui – agenda – répertoire – porte-monnaie – parapluie – **mouchoir** – trousseau*

✎ *Exemple : Je suis enrhumé, tu n'aurais pas un **mouchoir** en papier à me passer ?*

1. Mon fils avait laissé son _____ de clés sur son scooter et quand il est revenu, il ne l'a pas retrouvé.

2. Rangez bien vos lunettes dans leur _____, sinon elles vont se rayer très vite !

3. Ma mère est un peu étourdie, alors elle note tous ses rendez-vous dans son _____ pour ne pas oublier.

4. Tu es toute mouillée. Je t'avais bien dit de prendre ton _____ !

5. Marie est partie sans argent, elle a oublié son _____ sur la console de l'entrée !

6. Regarde dans ton _____, je suis sûr que tu as noté les coordonnées de Louis !

4. **Rangez ces éléments dans un portefeuille, dans un sac, dans une poche de vêtement ou dans une sacoche (parfois plusieurs possibilités).**

a. *une carte d'identité*

b. un parapluie pliant

c. une carte de crédit

d. un carnet

e. des tickets de bus

f. un stylo

g. un poudrier

h. un bâton de rouge à lèvres

i. un ordinateur portable

j. un téléphone portable

k. un agenda

l. un permis de conduire

m. un magazine

n. des gants

o. un trousseau de clés

p. de l'argent

1. Dans un portefeuille	2. Dans un sac	3. Dans une poche de vêtement	4. Dans une sacoche
a. une carte d'identité _____ _____	_____ _____ _____	_____ _____ _____	_____ _____ _____

5. **Associez les éléments pour faire des phrases.**

1. *Donnez-moi…*
2. Ouvre…
3. Tu ne peux pas allumer…
4. Vous êtes priés d'éteindre…
5. Tu peux noter…
6. Où est-ce que je peux retirer…
7. Ne remplissez pas…
8. N'oublie pas de mettre…

a. le numéro de téléphone de Nicolas ?

b. votre chèque, signez-le simplement.

c. votre portable pendant le spectacle.

d. de l'argent dans le coin ?

e. une cigarette ici, c'est interdit de fumer.

f. des gants, il fait froid ce matin.

g. ton parapluie, il commence à pleuvoir.

i. *du feu, s'il vous plaît.*

6. **Complétez les phrases avec les expressions suivantes à la forme correcte.**

oublier – *signer* – présenter – offrir – se remaquiller – enlever – rallumer – retrouver

✎ Exemple : Madame, excusez-moi mais vous avez oublié de **signer** votre chèque.

1. Ce matin j'ai fermé ma porte et j'_____ mes clés à l'intérieur. Donc je ne peux pas rentrer chez moi.

2. Vous êtes prié de _____ un papier d'identité pour entrer dans ce bâtiment administratif.

3. Tu n'as pas pu m'appeler. C'est normal, après le film, j'ai oublié de _____ mon portable.

4. Hélène a perdu son sac au collège. Tu crois qu'elle a une chance de le _____ ?

5. Désolée, je n'_____ pas mes lunettes de soleil, j'ai très mal aux yeux.

6. Est-ce que tu pourrais m'_____ une cigarette, s'il te plaît ?

7. Je ne peux pas sortir comme ça, donnez-moi une seconde, je vais _____.

7. **Activité. Vous êtes à l'aéroport, vous arrivez de Madrid… sans votre bagage. Vous allez au bureau des bagages pour en déclarer la perte. L'hôtesse/votre voisin(e) vous demande de décrire votre bagage et son contenu. Donnez des précisions.**

24. LES OBJETS DE LA MAISON et LE BRICOLAGE

■ INSTALLATION

🔊 piste 47

Valérie : Allô, Marie, tu peux venir me voir quand tu veux, j'ai trouvé un petit appartement très sympa.

Marie : Formidable ! Tu es bien installée ?

Valérie : Oui, mais c'est encore un peu vide, il y a peu de meubles. Maintenant, je vais m'attaquer à la décoration ; il me faut des rideaux et une lampe.

Marie : Tu devrais aller chez des antiquaires, on y trouve souvent des choses originales : des lustres, des miroirs, des vases, des peintures, des bougeoirs… tout ce qui fait qu'un appartement devient un nid douillet.

Valérie : Oui, mais je crois que je préfère un intérieur moderne, un peu dépouillé. Il manque quand même quelques coussins mais je ne veux pas de bibelots, j'ai horreur de ça et puis après, quand il faut faire la poussière…

Marie : Oui, mais ça donne une atmosphère chaude. Moi, tu vois, j'ai envie de changer un peu mon salon : je vais acheter une petite table basse et un tapis. Dans un magazine de déco, j'ai vu une jolie console en bois ; je pourrais y poser mes souvenirs de voyage comme ma statuette indienne. Et sur les murs, je mettrais bien une grande tenture, dans les rouges.

Valérie : Je vois, tu veux créer une ambiance orientale. Mais moi, je me plais dans les grandes pièces vides. Alors, quand est-ce que tu viens me voir dans mon nouvel univers ?

Marie : Bientôt, c'est promis. Je t'apporterai une plante verte, d'accord ?

Valérie : Avec plaisir, alors, à bientôt !

🔊 **Écoutez et répondez aux questions suivantes.**

1. Cochez les phrases vraies.

☐ Valérie vient d'emménager.

☐ Elle a beaucoup de meubles.

☐ Marie lui conseille d'aller chez des antiquaires.

☐ Marie aime les appartements modernes.

2. Triez les meubles et éléments de décoration préférés de Valérie et de Marie :

une console – des rideaux – un tapis – des statuettes – une lampe – une table basse – des cousins – une tenture murale

Marie	
Valérie	

■ DIMANCHE... BRICOLAGE !

 piste **48**

(Un lundi matin, au distributeur de café.)

Patrick : Alors, ce dimanche, sympa ?

Bruno : Moyen. Comme il pleuvait, j'ai fait du bricolage à la maison.

Patrick : Incroyable, moi aussi j'ai bricolé : j'ai réparé un robinet qui fuyait dans la salle de bains. Et toi ?

Bruno : Moi, j'ai repeint le placard et le radiateur de la chambre ; j'ai aussi installé une lampe dans le couloir.

Patrick : Ça y est, tu as fini ?

Bruno : Oui mais en fait, si j'étais courageux, je changerais le papier peint dans le salon.

Patrick : Oui, je vois. Eh bien moi, j'ai encore plein de petites choses à faire : une porte à décaper et à poncer, la moquette à changer dans le salon… Dis donc, on devrait s'associer, ce serait moins ennuyeux, non ?

Bruno : Bonne idée. On va y réfléchir !

◀ Écoutez et répondez aux questions suivantes.

1. Pourquoi Bruno, le second collègue, a-t-il fait du bricolage dimanche ?

_____

2. Qui a changé un robinet ? Qui a fait de la peinture ? Qui a installé une lampe ?

_____

3. Que proposent-ils pour les prochaines séances de bricolage ?

_____

▸ *Les objets de la maison*

■ Les objets décoratifs

– Objets fixés (= accrochés) au mur
un **miroir**, une **glace**
un **tableau**, une peinture (dans un cadre)
une **reproduction**, une **affiche** (imprimées),
une photo
– Objets posés/disposés sur un meuble
ou sur une étagère
une **statue**, une statuette en bois, en pierre,
   en cuivre
une **coupe** (pour présenter des fruits) en verre,
   en bois, en métal
un **vase** (pour les fleurs) en verre, en céramique
un cache-pot (pour les plantes) en terre, en osier

un miroir/
une glace

un vase

■ Les luminaires (= les éclairages)

une lampe
de chevet

un lustre

un lampadaire

une applique

une **lampe** (posée sur une table) ; une lampe de bureau (pour travailler),
une lampe de chevet (placée près du lit)
un **lustre** (suspendu au plafond)
un **lampadaire** = une lampe fixée sur un pied assez haut, posée au sol
une **applique** (fixée sur un mur)
un spot = une petite lampe puissante fixée au mur ou au plafond
allumer/éteindre une lampe/la lumière

■ Les petits meubles

une étagère

une console

une étagère

un portemanteau

une patère

un guéridon

une table basse
une **table de chevet** (près du lit)
une **console** = une table étroite posée contre un mur
une **étagère** = une planche fixée horizontalement au mur, ou encore un meuble comportant plusieurs étagères, pouvant servir de bibliothèque
une **coiffeuse** (= un ensemble de tiroirs avec un miroir, pour se coiffer et se maquiller)
un **portemanteau** = une patère (pour accrocher des vêtements)
un **guéridon** = une petite table ronde avec un pied central

■ **Sur le sol et les murs**

un **tapis** (au sol)

un **paillasson** (devant la porte d'entrée, pour s'essuyer les pieds)

une tapisserie = une **tenture** (tendue, suspendue, accrochée au mur)

un **rideau** (accroché devant une porte ou une fenêtre)

▶ *Le petit bricolage, les petits travaux dans la maison*

bricoler, faire du **bricolage**, faire des petits travaux d'aménagement dans la maison

un/-e **bricoleur**/-euse un/-e professionnel/-elle (= un artisan ou un ouvrier)

un électricien (pour installer ou refaire l'électricité), un plombier (pour installer l'eau, réparer un robinet), un peintre (pour repeindre ou tapisser une pièce), un menuisier (pour faire ou réparer un meuble en bois)

■ **Les actions**

décorer = rendre plus joli, personnaliser un lieu

cirer un meuble (avec de la cire), **vernir** un meuble (avec du vernis)

brosser, **poncer**, **décaper** = nettoyer à fond, enlever la peinture

peindre un meuble, un mur (avec de la peinture)

tapisser (coller du papier peint, de la tapisserie sur les murs)

changer une ampoule (électrique), une prise de courant

réparer une fuite d'eau, installer un lavabo, réparer un robinet

fixer un miroir, une applique au mur

poser un plancher (en bois) au sol

poser une moquette, changer la moquette (au sol)

coller (avec de la colle)

clouer (avec un clou et un marteau)

visser (avec une vis et un tournevis)

■ **Les outils** *(m)*

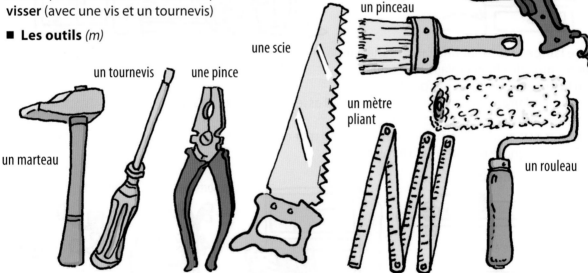

une perceuse

un pinceau

une scie

un tournevis   une pince

un mètre pliant

un marteau

un rouleau

1. **Dans le dialogue 1, relevez les objets de la maison et classez-les.**

1. Meubles	2. Au sol	3. Au mur	4. Objets décoratifs
_____	_____	_____	_____

Dans le dialogue 2, relevez les verbes liés au bricolage et indiquez sur quoi ils ont porté.

1. Verbes	2. Objets/lieux
_____	_____

2. **Dans chaque liste, barrez l'intrus et indiquez le genre (M) ou (F).**

✎ *Exemple : lampe (F) – tenture (F) – coussin (M) – ~~marteau~~ (M) – console (F) – lampadaire (M)*

1. miroir _____ – tableau _____ – affiche _____ – photographie _____ – tapis _____

2. tournevis _____ – pince _____ – marteau _____ – pinceau _____ – lustre _____
   – scie _____

3. papier peint _____ – moquette _____ – applique _____ – peinture _____ – plancher _____

4. rideau _____ – tenture _____ – lampadaire _____ – tapisserie _____ – moquette _____

3. **Complétez les phrases avec les noms suivants à la forme correcte.**

*vase – portemanteau – statuette – miroir – lustre – **paillasson** – rideau*

✎ *Exemple : Tu aurais moins de poussière chez toi si tu mettais un **paillasson** devant ta porte.*

1. On devrait poser un _____ près de la porte d'entrée pour accrocher les vêtements de pluie.

2. Elle vient de casser son _____ et elle n'a plus rien pour mettre ses fleurs.

3. Je viens d'acheter de nouveaux _____ pour notre chambre. Ils ne laisseront pas passer la lumière le matin.

4. Il faut absolument installer un _____ dans l'entrée pour se voir avant de sortir !

5. J'aime beaucoup ta _____ de Bouddha ; tu l'as rapportée du Cambodge ?

6. Ma mère déteste les _____ ; elle préfère la lumière diffuse des appliques.

4. **Complétez ces phrases avec les verbes suivants.**

*décorer – accrocher – coller – réparer – cirer – fixer – poser – décaper – **repeindre** – tendre*

✎ *Exemple : Cet été, nous allons **repeindre** la cuisine, les murs sont sales et tristes.*

1. Tu ne peux pas _____ cette table maintenant. Regarde, il y a encore des traces de peinture. Il faut d'abord la _____.

2. Je voudrais refaire ma chambre. Est-ce que tu peux m'aider à _____ du papier peint ? Mon frère viendra la semaine prochaine _____ une moquette neuve.

3. Ma mère a besoin de toi pour _____ ses rideaux ; elle est trop âgée pour monter sur un tabouret.

4. S'il vous plaît, vous pouvez _____ mieux le lustre ? J'ai l'impression qu'il ne tient pas bien et je ne voudrais pas qu'il me tombe dessus.

5. Pour _____ un peu mieux mon salon, j'aimerais refaire la peinture et acheter un nouveau canapé. Je pourrais aussi _____ une tapisserie au mur.

6. Il faut que j'appelle un plombier ; il y a une fuite d'eau dans la cuisine et Paul n'arrive pas à la _____.

5. **Activité. Vous voulez changer votre salon, vos meubles, la décoration, les peintures, les rideaux, les bibelots. Vous allez voir un décorateur d'intérieur. Il vous pose des questions sur votre salon actuel, ce que vous souhaiteriez et il vous conseille. Jouez avec votre voisin(e).**

25. LA VOITURE et LA CIRCULATION ROUTIÈRE

■ *LA VOITURE IDÉALE*

 piste **49**

(Au Salon de l'auto.)

Carole : Voilà ce que j'aimerais : un cabriolet, décapotable. Idéal pour aller au bord de la mer le dimanche, non ?

Thierry : Tu n'es pas sérieuse ! Et le chien, on le mettrait où ? Il n'y a pas de banquette à l'arrière.

Carole : Oh là là ! si on ne peut pas rêver… !

Thierry : Regarde, voilà exactement la voiture qu'il nous faudrait : compacte, esthétique, confortable, avec de la reprise et tout ça pour un prix raisonnable.

Le vendeur : Je peux vous renseigner ? Ce nouveau modèle est très adapté à la ville : son encombrement réduit permet de se garer facilement et de se faufiler dans les embouteillages. Son coffre spacieux peut loger un nombre important de bagages et sa tenue de route est exceptionnelle. De plus, la Bravo est équipée d'un système hybride ; elle est donc économique et fait moins de quatre litres aux cent sur route. Et regardez comme l'habitacle est bien agencé. Je vous en prie, asseyez-vous.

Carole : Hum, vous avez ce modèle avec la clim ? et un toit ouvrant ? Ah oui, j'aimerais bien aussi un GPS.

Le vendeur : Oui, mais alors, il faut prendre le modèle GT. C'est plus cher mais pendant la durée du salon, vous pouvez bénéficier d'un crédit très intéressant.

Thierry : Merci beaucoup, on prend la brochure ; on va réfléchir.

Carole *(à son mari)* **:** Non mais là, c'est toi qui rêves : on ne va pas acheter une voiture ! Le vélo, c'est parfait dans Paris. On n'a pas de problème de stationnement, on ne pollue pas et ça nous permet de garder la forme. Et puis maintenant qu'il y a des pistes cyclables, c'est beaucoup moins dangereux.

Thierry : Oui, et le chien, on le met dans le panier. Mais quand on aura un enfant, on le mettra où ?

Carole : On n'en est pas là !

◀€ Écoutez et répondez aux questions suivantes.

1. Remplissez la grille avec les caractéristiques des voitures recherchées par les deux personnes.

L'homme	_____
La femme	_____

2. Quelles sont les caractéristiques de la Bravo ?

_____

3. La femme est-elle prête à acheter une voiture ? Pourquoi ?

_____

4. Pourquoi l'homme veut-il une voiture ?

_____

■ *UNE CONDUITE SPORTIVE*

 piste **50**

(Dans la voiture de Laurent, Claire le guide.)

Laurent : Au feu, je fais quoi ?

Claire : Tu traverses la place et tu prends à droite, la petite rue.

Laurent : Mais non, regarde, c'est un sens interdit.

Claire : Bon, alors continue tout droit et avant le pont, tu tournes à droite.

Laurent : Je suis le tramway ?

Claire : Oui, mais reste bien à droite, sinon tu ne pourras pas tourner. Hé, le piéton ! Tu pourrais ralentir ! Tu sais que la vitesse est limitée, non ?

Laurent : Mais il avait largement le temps de traverser, et puis, il n'était pas dans les clous…

Claire : Je trouve que tu conduis bizarrement. Tu n'as jamais eu d'accident ?

Laurent : Non, j'ai mon permis depuis trois mois, tu sais… Et là, je vais où ?

Claire : Tu peux commencer à chercher une place pour te garer, on est presque arrivé. Et j'en suis ravie parce que ta conduite sportive me fait vraiment peur !

◀ Écoutez et cochez la bonne case.

	vrai	faux	on ne sait pas
1. Le garçon guide la conductrice.	☐	☐	☐
2. La voiture doit suivre le tramway.	☐	☐	☐
3. Le conducteur n'a pas vu le piéton.	☐	☐	☐
4. Le conducteur ne respecte pas la limitation de vitesse.	☐	☐	☐
5. La fille est inquiète.	☐	☐	☐
6. Le garçon conduit depuis peu de temps.	☐	☐	☐

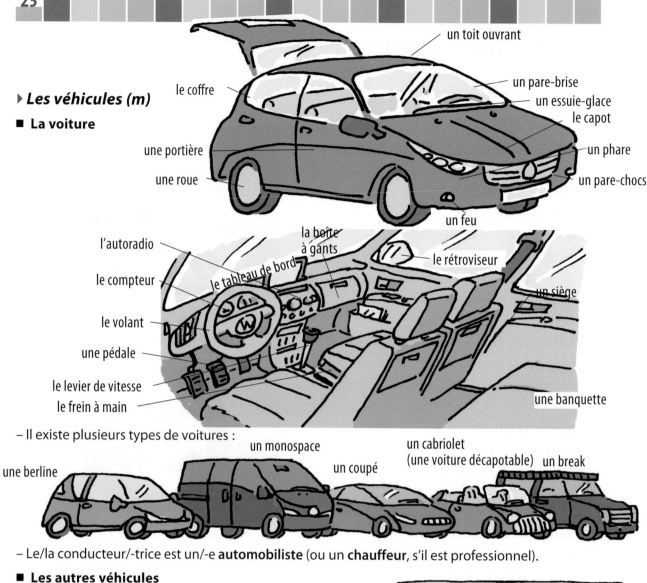

▶ *Les véhicules (m)*

■ **La voiture**

un toit ouvrant

le coffre

un pare-brise

un essuie-glace

le capot

une portière

un phare

une roue

un pare-chocs

un feu

l'autoradio

la boîte à gants

le rétroviseur

le compteur

le tableau de bord

le volant

un siège

une pédale

le levier de vitesse

le frein à main

une banquette

– Il existe plusieurs types de voitures :

une berline

un monospace

un coupé

un cabriolet
(une voiture décapotable)

un break

– Le/la conducteur/-trice est un/-e **automobiliste** (ou un **chauffeur**, s'il est professionnel).

■ **Les autres véhicules**

– Pour transporter des marchandises :
Le conducteur est un **chauffeur-livreur** ou un **camionneur**.
– Pour transporter des personnes :
un bus/un autobus, un autocar/un car,
un minibus
Le conducteur est un chauffeur.
– Les deux-roues :
un vélo (conducteur : un/-e cycliste), une moto, un scooter,
un vélomoteur (conducteurs : un **motard**, un/-e motocycliste)

une camionnette

un camion, un poids lo[...]

un motard

■ **Les caractéristiques**

– La vitesse et la puissance :
une voiture **roule** vite, elle fait du 160 km/h (= elle va à 160 kilomètres à l'heure), elle est rapide, puissante, **nerveuse**, elle a de la **reprise**.
– La consommation :
une voiture est économique, elle **consomme** peu, elle fait du 5,5 litres aux 100 (kilomètres). Si elle a un système hybride, elle consomme moins car elle fonctionne aussi sur sur une batterie électrique.
– La taille, l'**encombrement** *(m)* :
une voiture est compacte, petite ou c'est une grosse voiture, une voiture familiale.
Un **monospace** est une voiture très logeable pour une famille et des bagages. Les petites voitures **se garent** facilement et **se faufilent** (passent entre les files *[f]* de voitures) dans les **embouteillages** *(m)* ou les bouchons *(m)*.
– La sécurité : une voiture est sûre, elle tient bien la route = elle a **une bonne tenue de route**.
– Le confort : une voiture est confortable par l'assise des sièges *(m)*, l'espace de l'**habitacle** *(m)* (= l'intérieur), la climatisation.
– L'esthétique : le design, la ligne

▸ *La conduite*

Pour conduire, il faut **passer** (= réussir)
le **permis de conduire** (= un examen).
On est alors un/-e conducteur/-trice.
Pour cela, il faut avoir 18 ans et suivre
des cours de **code** (= le code de la route)
et de conduite.

■ Les actions de la conduite

mettre le contact pour **démarrer**
   (= mettre le moteur en marche)
   ≠ couper le contact (= arrêter
   le moteur)
démarrer = commencer à rouler,
   avancer
suivre un véhicule = rester derrière
   un véhicule
doubler/dépasser = passer devant
   un autre véhicule
accélérer (= aller plus vite)
   ≠ **ralentir** (= aller plus lentement)
freiner = appuyer sur la pédale de frein
   (m), pour ralentir ou s'arrêter
allumer, mettre (en marche) les feux *(m)*,
   les phares *(m)* (= les lumières
   de route)
   ≠ éteindre, couper, arrêter
mettre (en marche) les **clignotants** *(m)*
   (= les voyants lumineux extérieurs qui
   indiquent un changement de direction)
mettre (en marche) les **essuie-glaces** *(m)*
   (quand il pleut)
mettre (en marche)/allumer la clim
   (familier)/la **climatisation** (quand
   il fait chaud)
faire une **marche arrière** = reculer
chercher une place (en ville), se garer,
   garer la voiture, stationner

■ La signalisation routière, les panneaux *(m)* de signalisation

– **Interdictions** *(f)* :

sens interdit

stationnement interdit   dépassement interdit

interdiction de
tourner à droite

interdiction de
tourner à gauche

– **Limitations** *(f)* :
   vitesse limitée à 50 km/h
   (50 kilomètres à l'heure, 50 km heure)

– Dangers *(m)* et **avertissements** *(m)* :

un feu tricolore   un stop   un virage
dangereux

une route
glissante

la priorité à droite   un passage clouté
(pour les piétons)

une piste cyclable
(pour les vélos)

– La police (un policier) et la gendarmerie
(un gendarme) font respecter les règles *(f)* de
conduite, en ville comme sur les routes et autoroutes.
Quand un conducteur ne respecte pas les règles de
conduite, il peut être arrêté et verbalisé : il reçoit un
procès-verbal et doit payer une **amende**. Pour les
fautes graves, on peut lui retirer le permis de conduire.
brûler/griller un feu
   (= ne pas s'arrêter à un feu rouge)
griller un stop
   (= ne pas s'arrêter à un panneau stop)
refuser une/la priorité (à droite)

---

1. Relevez et classez dans le 1ᵉʳ dialogue, les noms correspondant aux parties d'une voiture et,
dans le 2ᵉ dialogue, les actions de la conduite et les indications de signalisation.

2. Barrez le mot qui ne va pas avec les autres.

   ✎ *Exemple : un minibus – un autocar – ~~un cabriolet~~ – un bus – une voiture familiale – un camion*

   1. un phare – un pare-chocs – un pare-brise – un compteur – un rétroviseur – un essuie-glace
   2. le levier de vitesse – le frein à main – le volant – la roue – la pédale d'accélérateur – le clignotant
   3. freiner – accélérer – ralentir – s'arrêter – tourner – allumer – démarrer – dépasser
   4. une priorité à droite – un rétroviseur – une limitation de vitesse – un sens unique
   5. un automobiliste – un cycliste – un motard – un piéton – un chauffeur – un camionneur
   6. économique – confortable – chère – spacieuse – sûre – esthétique – rapide

3. **Mettez en relation les expressions de sens proche.**

1. *freiner*   a. aller plus vite
2. stationner   b. rouler derrière
3. faire marche arrière   c. mettre le contact
4. accélérer   d. tourner
5. prendre un virage   e. se garer
6. mettre en marche   f. dépasser
7. doubler   g. *ralentir*
8. suivre   h. reculer

4. **Assemblez les éléments pour faire des phrases (parfois, plusieurs possibilités).**

1. *L'automobiliste…*   a.   donne une contravention.
2. Le gendarme…   b.   s'assoit à côté du conducteur.
3. Le policier…   c.   emprunte la piste cyclable.
4. Le camionneur…   d.   traverse dans le passage clouté.
5. Le cycliste…   e.   rédige un procès verbal.
6. Le piéton…   f.   fait une livraison.
7. Le passager…   g.   *paie une amende quand il ne respecte pas le code de la route.*

5. **Complétez les phrases avec les expressions suivantes à la forme correcte.**

*sens interdit – s'arrêter – limité – sens unique – doubler – **freiner** – suivre – se garer – priorité – marche arrière – ralentir*

✎ *Exemple : C'est orange, **freine** sinon tu vas griller le feu rouge !*

1. En ville, la vitesse est _____ à 50 km/h et les camions ne peuvent pas se _____.
2. Tu es mal garé, fais une _____ pour te rapprocher du trottoir.
3. En ville et sur la route, il faut laisser la _____ aux véhicules venant de la droite et _____ aux stops et aux feux rouges.
4. Quand une rue est en _____, on ne peut pas y entrer mais, si elle est à _____, il ne viendra pas de voitures en face.
5. Quand il y a un panneau de stationnement interdit, on ne peut pas _____.
6. Mets ton clignotant et _____, on va bientôt tourner à gauche.
7. C'est dangereux de _____ les voitures de trop près !

6. **Activité. Vous cherchez une voiture d'occasion. Vous lisez cette petite annonce et vous téléphonez pour avoir plus d'informations sur le kilométrage, la consommation, l'encombrement, l'état du moteur, de la carrosserie, de l'intérieur, la couleur…**

> **URGENT – À VENDRE**
> Peugeot 308, 2011, peu servi
> **4 500 euros**
> Tél. 03 26 80 39 05

26. L'ÉCOLOGIE et les GESTES ÉCO-CITOYENS

■ *NOTRE JARDIN PARTAGÉ*

 piste **51**

> *(Dans une rue de Paris, en fin d'après-midi, deux amies)*
>
> **Alice :** Salut Géraldine, tu vas où avec ton panier, faire des courses ?
>
> **Géraldine :** Non, je vais au jardin en bas de la rue. Je vais cueillir des tomates et du basilic.
>
> **Alice :** Dans le square ?
>
> **Géraldine :** Mais non, je fais partie d'une association et on cultive ensemble un petit terrain. Chacun y va quand il veut, travaille et récolte des légumes et des fruits. Tu devrais m'accompagner, c'est sympa et les produits sont bio : on n'utilise aucun pesticide, aucun engrais, que du compost et des produits naturels.
>
> **Alice :** Et chacun vient jardiner et cueillir les légumes ? L'idée me plait bien. Je t'accompagne !
>
> **Géraldine :** Et si ça te plaît, on pourra jardiner ensemble, et avec les autres qui sont vraiment cool !

◀ Écoutez et cochez les phrases vraies.

☐ Géraldine va au supermarché faire ses courses.

☐ Elle va cueillir des légumes et des fruits.

☐ Elle est membre d'une association qui gère un jardin collectif de quartier.

☐ Les jardiniers volontaires viennent dans ce jardin quand ils veulent.

☐ L'amie de Géraldine n'est pas intéressée par cette association.

■ *CONFLIT DOMESTIQUE*

 piste **52**

> *(Dans la cuisine, un couple)*
>
> **Martin :** Léa, tu as encore mélangé les emballages avec les ordures ménagères… Ce n'est quand même pas compliqué : le plastique, le métal et le papier dans la poubelle blanche, le verre dans le sac et le reste dans la poubelle normale.
>
> **Léa :** Pardon Martin, je sais tu me l'as déjà dit mais ce matin j'étais en retard et je n'ai pas fait attention. Au fait, les piles et les ampoules, on les met où ?
>
> **Martin :** Tu me les donnes, je les déposerai en allant au supermarché demain.
>
> **Léa :** Merci Martin. Tu as raison de faire attention au tri des poubelles mais je ne te trouve quand même pas très écolo : un bain le soir, ça consomme beaucoup d'eau alors qu'une douche c'est beaucoup plus économique.
>
> **Martin :** C'est vrai, dorénavant tu prendras ta douche avant moi et je garderai l'eau pour prendre un petit bain. Ça te convient ?

◀፥ **Écoutez et répondez aux questions.**

1. Qui a oublié de faire le tri des déchets ?

_____

2. Quel reproche Léa fait-elle à Martin ?

_____

3. Quelle solution propose-t-il ?

_____

▶ VOIR AUSSI LES CHAPITRES SUR LA MER ET L'EAU, LE CIEL ET LA TERRE, LA GÉOGRAPHIE ET LE MONDE

L'écologie a pour but de préserver la planète, c'est à dire la nature et **l'environnement**. Elle est défendue par les écologistes qui veulent limiter les catastrophes climatiques liées à **la pollution** de l'eau, de la terre et de l'air. Enjeu politique des gouvernements, elle cherche aussi à développer des **énergies renouvelables** ; elle concerne également chaque citoyen, dans ses pratiques quotidiennes comme l'économie de l'eau et des énergies, le tri des déchets, les choix alimentaires et des transports… On l'appelle l'éco-citoyenneté.

■ Les énergies renouvelables et durables

Les ressources énergétiques traditionnelles telles que le charbon, le pétrole, le gaz, qui constituent les énergies fossiles et le bois s'épuisent. Pour y remédier, on abandonne petit à petit les centrales nucléaires pour se tourner vers les énergies renouvelables ou vertes telles que le vent (l'énergie éolienne), l'eau (l'hydroélectricité), le soleil (l'énergie solaire) qui peuvent produire de l'électricité.

des panneaux solaires

des éoliennes

On installe ainsi des barrages qui permettent d'utiliser la force de l'eau, **des éoliennes** pour capter le vent à la campagne ou au bord de la mer et **des panneaux solaires** sur les toits pour répondre en partie aux besoins domestiques. L'agriculture s'oriente aussi dans cette direction avec la culture de certaines espèces transformables en carburant.

■ Les gestes éco-citoyens

La population est de plus en plus sensibilisée à l'écologie. On voit se développer dans les grandes villes des jardins collectifs/communautaires ou partagés cultivés par des membres bénévoles. Des façades végétales contribuent à l'isolation thermique des immeubles.

Au niveau domestique, il faut **trier ses déchets**/pratiquer le tri sélectif des ordures, en écartant les emballages (plastiques, cartons, métaux, verre…) des autres ordures ménagères. Quand on a un jardin, il est recommandé de rassembler les déchets organiques pour en faire du compost qui fertilise les cultures.

Certains déchets propres peuvent être **recyclés** ou récupérés pour être transformés. Cela permet de **préserver** des ressources naturelles et des matières premières ainsi que de limiter **les gaz à effet de serre** qui polluent l'atmosphère. Il vaut mieux donner que jeter pour limiter la consommation et il est important de déposer les objets dont on ne se sert plus dans des centres de **déchetterie** qui les recycleront.

On conseille de consommer des produits issus de **l'agriculture biologique** qui ne polluent pas et sont meilleurs au goût et pour la santé. Ils sont cultivés sans **pesticides**/ insecticides (qui tuent les insectes), ni engrais chimiques, ni **OGM** (organismes génétiquement modifiés), ni hormones pour l'élevage car tous ces produits sont toxiques. Ces produits sont signalés par un **label** ; ils sont labellisés.

agriculture biologique

Il faut limiter sa consommation d'eau pour éviter le **gaspillage** et respecter la pureté des cours d'eau et de la mer en n'y déversant pas de produits chimiques et toxiques.

Également il est important de limiter sa consommation énergétique (pour l'électricité, le chauffage, la climatisation, le carburant) au plus juste de ses besoins, par exemple, choisir des ampoules basses tension et ne pas surchauffer les pièces, isoler les fenêtres…

Quand c'est possible, il faut préférer les transports en commun aux transports individuels et covoiturer/partager son véhicule en proposant un co voiturage (en proposant des sièges à des passagers).

▶ *Pour aller plus loin*

Les écologistes (familier= les écolos) = les Verts

Le développement durable prend en compte la qualité environnementale en plus de l'efficacité économique et de l'équité sociale.

---

1. **Retrouvez dans le dialogue 1, les produits qui ne sont pas utilisés dans la culture biologique.**

_____

Dans le dialogue 2, indiquez le lieu où déposer ces différents déchets :

les ordures ménagères – les piles – les ampoules – le plastique – le carton – le verre – le métal – le papier

La poubelle normale	Le sac	La poubelle blanche	Au supermarché
_____	_____	_____	_____

2. **Dans chaque série, barrez l'intrus.**

🖉 *Exemple : la mer – la rivière – ~~le charbon~~ – le vent –le soleil*

1. un pesticide – un engrais – le compost – un insecticide – un OGM

2. un panneau solaire – une éolienne – le pétrole – un barrage hydro-électrique

3. vert – propre – biologique – écologique – chimique – environnemental – naturel

4. le tri des déchets – le covoiturage – le gaspillage – le recyclage – l'agriculture biologique

3. **Complétez ces phrases avec les mots suivants à la forme correcte.**

   *recyclé – organique – climatique – **partagé** – solaire – biologique*

   *Exemple : La ville va mettre à disposition des habitants un petit terrain pour en faire un jardin **partagé**.*

   1. Pour faire un compost, vous devez collecter tous les déchets _____ et végétaux.
   2. L'agriculture _____ n'utilise ni engrais chimique ni pesticide.
   3. Dans le sud de la France et en montagne, on installe beaucoup de panneaux _____ sur le toit des maisons.
   4. Je vais visiter une exposition d'œuvres réalisées à partir de produits _____ ; on y trouve des objets très originaux. Tu m'accompagnes ?
   5. En limitant la pollution de l'air, on pourra peut-être réduire les catastrophes _____ futures.

4. **Reliez les expressions de sens proche.**

   1. *utiliser des pesticides*
   2. protéger les énergies fossiles
   3. produire de l'hydroélectricité
   4. installer des éoliennes
   5. agir en éco-citoyen
   6. pratiquer le recyclage
   7. déposer des objets à la déchetterie
   8. obtenir un label
   9. proposer du covoiturage

   a. utiliser la force électrique produite par l'eau
   b. mettre en place des installations permettant de produire de l'électricité en captant le vent
   c. porter une étiquette ou une marque attestant certaines normes
   d. récupérer des produits anciens et les transformer
   e. épargner les ressources non-renouvelables
   f. mettre des objets usagés dans un lieu organisé et légal pour un recyclage éventuel
   g. *traiter des surfaces agricoles avec des produits toxiques*
   h. offrir des places pour des passagers dans son véhicule
   i. avoir des comportements respectueux de l'environnement

5. **Complétez les phrases avec les verbes suivants à la forme correcte.**

   *polluer – trier – économiser – préserver – fertiliser – recycler – **gaspiller** – isoler*

   *Exemple: L'eau est un produit vital et il ne faut pas la **gaspiller**.*

   1. Á l'arrêt, coupe le moteur de la voiture, tu _____. avec les gaz d'échappement.
   2. Cette pièce est surchauffée, baisse la température et tu _____. de l'électricité.
   3. Pour laisser une planète propre aux générations futures, il faut penser à la _____. aujourd'hui.
   4. Il y a quelques années, on jetait les ordures ménagères toutes ensemble mais de nos jours on les _____.
   5. Pour _____. les champs, on n'est pas obligé d'utiliser des engrais chimiques.
   6. Si vous _____. bien vos fenêtres, vous verrez votre confort augmenter et votre facture d'électricité diminuer !
   7. Ne jetez plus votre vieil ordinateur; notre structure peut le _____. pour le donner dans des écoles du tiers monde.

6. **Activité. Votre voisin n'a aucun comportement écologique dans sa vie quotidienne. Vous devez lui expliquer quelques gestes simples pour aider à préserver la planète.**

1.   Complétez les phrases avec les verbes suivants à la forme correcte.

gaspiller – épargner – débiter – dépenser – changer – régler

1. Avant de partir à Londres, je dois _____ un peu d'argent ; je ne pense pas qu'on puisse payer en euros.

2. Vous venez d'effectuer un retrait de 100 euros, votre compte _____ _____ à la fin du mois.

3. Nous n'avons pas beaucoup d'argent et il ne faut pas le _____ en faisant des achats inutiles.

4. Tu _____ plus d'argent que tu n'en gagnes, c'est pour ça que tu es toujours en rouge.

5. Vous préférez que je vous _____ comment : par carte ou en liquide ?

6. Toute leur vie, mes grands-parents _____ _____ pour s'acheter une maison pour leurs vieux jours.

2.   Que peut-on mettre dans...

1. un portefeuille : _____

2. une trousse de maquillage : _____

3. dans la poche d'un blouson : _____

4. dans un sac à main de femmes : _____

5. dans un sac de voyage : _____

3.   Complétez ces phrases en tenant compte des situations :

1. Dans la rue : « Pourriez-vous s'il vous plaît me _____ ».

2. À l'entrée d'un restaurant : « Vous êtes priés d'éteindre _____ ».

3. Deux amis ont rendez-vous après un film : « En sortant du cinéma, n'oublie pas de _____ _____ ».

4. Dans un magasin : « N'oubliez pas de signer _____ ».

5. À la douane : « Vous devez présenter _____ ».

6. Dans la rue : « J'ai reçu une goutte, ouvre _____ ».

7. À la plage : « Il n'y a plus de soleil, enlève _____ ».

4.   Qu'est-ce que c'est ?

1. Une table basse et ronde avec un pied central : _____

2. Un tissu que l'on met sur un mur pour la décoration : _____

3. Une table étroite posée contre un mur : _____

4. Une lampe assez haute posée par terre : _____

5. Un meuble avec une glace et des tiroirs, utilisé par les femmes pour se faire belles : _____

6. Une lampe fixée contre un mur : _____

7. Un tapis sur lequel on s'essuie les pieds avant d'entrer : _____

5. Associez les éléments qui vont ensemble.

1. *On visse avec…*   a. une pince.

2. On plante un clou avec…   b. un mètre pliant.

3. On coupe du bois avec…   c. un marteau.

4. On arrache un clou avec…   d. un pinceau et un rouleau.

5. On mesure avec…   e. une scie.

6. On peint avec…   f. *un tournevis.*

6. Complétez ces phrases avec les expressions suivantes.

pare-chocs – rétroviseur – clignotant – compteur – pare-brise – essuie-glace – phare

1. Tu devrais t'arrêter pour nettoyer le _____ : pour conduire de nuit, il faut bien voir la route.

2. J'ai enfoncé le _____ en faisant une marche arrière.

3. Tu roules trop vite, regarde le _____, on est à 130 !

4. Avant de doubler, tu dois regarder dans le _____ pour voir s'il n'y a pas une autre voiture en train de te dépasser.

5. Allume tes _____, il commence à faire nuit.

6. Tu n'as pas mis le _____ pour indiquer que tu tournais à gauche. Fais attention !

7. Mets en marche les _____, il commence à pleuvoir !

7. Comment s'appelle le conducteur de ces véhicules ?

1. Une moto → _____

2. Une camionnette → _____

3. Un vélo → _____

4. Un bus → _____

5. Une voiture → _____

6. Un poids lourd → _____

8. Complétez les phrases avec les verbes à la forme correcte.

se garer – doubler – se faufiler – consommer – rouler

1. Tu _____ au milieu de la rue, tiens ta droite.

2. Commence à chercher une place pour _____, on est bientôt arrivé.

3. Ne dépasse pas, un camion est en train de nous _____ .

4. Cette voiture est très économique, elle ne _____ que 5,5 litres aux cent.

5. Quand il y a des embouteillages, les motos peuvent _____ entres les voitures.

6. _____ et avance lentement pour sortir du parking.

9. Complétez le texte avec les verbes suivants à la forme correcte :

recycler – gaspiller – trier – économiser – isoler – préserver – réduire – polluer – protéger

Aujourd'hui, les pays sont conscients de la nécessité de (1) **protéger** la planète. Pour cela, on incite les gens à (2) _____ l'énergie. Les gens (3) _____ leur consommation d'électricité et de pétrole et ils font plus de déplacement à bicyclette dans les villes. Ils (4) _____ leurs habitations et (5) _____ leurs appareils ménagers. Étant moins consommateurs, ils (6) _____ moins et conservent plus longtemps leurs biens. Les villes ont organisé des déchetteries pour (7) _____ les déchets ce qui permet de moins (8) _____ . Mais il y a encore beaucoup à faire pour (9) _____ notre environnement.

LEXIQUE FRANÇAIS

Ce lexique alphabétique répertorie le vocabulaire essentiel des explications de vocabulaire.

Abréviations : adj (adjectif) – adj, n (adjectif et nom) – adv (adverbe) – inv (invariable) – loc (locution) – n (nom masculin et féminin) – nf (nom féminin) – nm (nom masculin) – pl (pluriel) – prép (préposition) – v (verbe)

1. à genoux loc 1
2. abonnement nm 8, 9, 19
3. aboyer v 15
4. abricotier nm 16
5. abstrait/-e adj 21
6. accélérer v 25
7. accessoire nm 4
8. accrocher v 24
9. achat nm 22
10. acheter v 22
11. acide adj 17, 18
12. acrobate n 21
13. acteur/-trice n 21
14. actif/-ive adj 5
15. action nf 22
16. actionner v 21
17. activer v 9
18. activité nf 5, 11 ;
    [volcan] entrer en – loc v 12
19. actualité nf 19
20. adorable adj 5
21. adoration nf 6
22. adorer v 6
23. aéroport nm 10
24. affaire 20
25. affiche nf 24
26. affreux/-euse adj 4
27. agence (de voyages) nf 10, 11
28. agenda nm 23
29. agio nm 22
30. agneau nm 15
31. agréable adj 5
32. agressif/-ive adj 5
33. agressivité nf 5
34. agricole adj 16
35. agriculteur/-trice n 16
36. agriculture biologique nf 26
37. agro-alimentaire adj 16
38. aigle nm 15
39. aigre adj 18
40. aire nf 18
41. aise (à l'–) loc 22
42. aisé/-e adj 22
43. algue nf 13
44. alimenter v 22
45. allégé/-e adj 18
46. alléger v 18
47. aller à la pêche loc v 11
48. aller bien/mal loc v 2, 4
49. aller simple nm 10
50. aller-retour nm 10
51. allô loc 8
52. allongé/-e adj 1
53. allonger v 18
54. allumer v 23, 24, 25
55. allumette nf 23
56. allure nf 4
57. alourdir v 18
58. altitude nf 12
59. amélioration nf 20
60. amende nf 25
61. amer/-ère adj 17, 18
62. amitié nf 6
63. amour nm 6
64. amoureux/-euse adj 6 ;
    (tomber – de) loc v 6
65. ampoule nf 24
66. amusant/-e adj 5
67. analyse nf 2
68. âne nm 15
69. ânesse nf 15
70. angoisse nf 6
71. angoissé/-e adj 6
72. animal (pl : animaux) nm 15

73. animal de compagnie nm 15
74. animateur/-trice n 19
75. annonce (petite –) nf 7
76. annuler v 8
77. ânon nm 15
78. antenne nf 19
79. antipathique adj 5
80. apercevoir v 17
81. apeuré/-e adj 6
82. appel nm 8
83. appeler v 8
84. appétissant/-e adj 18
85. applique nf 24
86. appliquer v 20
87. appréhension nf 6
88. appuyer v 25
89. aquarelle nf 21
90. aquarelliste n 21
91. aquarium nm 15
92. arbre nm 16
93. arbuste nm 16
94. argent nm 4, 22, 23
95. aride adj 12
96. arôme nm 17
97. arrêt nm 10
98. arrêter (s'–) v 10, 25
99. arrivée nf 10
100. arriver v 10
101. arrondi/-e adj 18
102. arroser v 16
103. art nm 21
104. article nm 19
105. artificiel/-ielle adj 13
106. artisan/-ane n, adj 24
107. artisanat nm 11
108. artiste n 21
109. as nm : être plein aux –, loc v 22
110. as de pique nm 4
111. assaisonné/-e adj 18
112. Assemblée nf 20
113. asseoir (s'–) v 1
114. assis/-e adj 1
115. assistant/-e n 2
116. assourdissant/-e adj 17
117. assurance maladie nf 7
118. assurance vieillesse nf 7
119. astre nm 14
120. astronome nm 14
121. atelier nm 21
122. attaché-case nm 23
123. atterrissage nm 10
124. attestation (d'assurance) nf 23
125. attraction nf 21
126. aube nf 14
127. auberge de jeunesse nf 11
128. audible adj 17
129. auditeur/-trice n 19
130. autobus nm 25
131. autocar nm 25
132. automne nm 16
133. automobiliste n 25
134. autoradio nm 25
135. autoroute nf 10, 25
136. autruche nf 15
137. automne nm 20
138. avare adj 5, 22
139. avarice nf 5
140. avertissement nm 25
141. aveuglant/-e adj 17
142. aveugle n, adj 17
143. avion nm 10, 11
144. avoine nf 16

145. bac nm 13

146. bagage nm 10
147. bague nf 4
148. baigner (se –) v 11, 13
149. bain nm 3
150. bain de mer nm 13
151. bain de soleil nm 11, 13
152. baisser (se –) v 1, 22
153. balancer v 1
154. ballerine nf 21
155. ballet nm 21
156. balnéaire adj 11
157. banal/-e adj 4
158. bananier nm 16
159. bancaire adj 22
160. banderole nf 20
161. banque nf 22
162. banquette nf 25
163. banquier nm 22
164. banquise nf 12
165. barque n 13
166. barrage nm 13
167. bas de laine nm 22
168. bassin nm 13, 15
169. bassiste n 21
170. bâtard/-e adj 15
171. bateau nm 11
172. bateau (de pêche/de plaisance) nm 13
173. bateau-mouche nm 13
174. bâton (de rouge à lèvres) nm 23
175. batterie nf 8
176. batteur nm 21
177. bavard/-arde adj 5
178. beauté nf 3
179. bélier nm 15
180. béret nm 4
181. berge nf 13
182. berline nf 25
183. besoin (dans le –) loc 22
184. bête adj 5
185. bête nf 15
186. bêtise nf 5
187. bien (aller –) loc v 2
188. biennale nf 21
189. bijou nm 4
190. bijouterie nf 4
191. billet nm 10, 22, 23
192. blé nm 16
193. bloc nm 21
194. blues nm 21
195. bœuf nm 15
196. bois nm 16, 21, 24
197. boîte [courrier électronique] nf 9
198. boîte à gants nf 25
199. boîte vocale nf 8
200. bonté nf 5
201. bosquet nm 16
202. botte nf 13
203. bouc nm 15
204. bouche nf 17
205. bouchon nm 10, 25
206. boucle d'oreille nf 4
207. bouger v 1
208. bouleau nm 16
209. boulot nm 7
210. bouquet nm 16
211. bourgeon nm 16
212. bourse nf 22
213. bouton nm 16
214. bracelet nm 4
215. branche nf 16
216. branché/-e adj 4
217. brancher v 9

218. bras nm 1
219. break nm 25
220. brebis nf 15
221. bricolage nm 24
222. bricoler v 24
223. bricoleur/-euse n 24
224. briquet nm 23
225. broche nf 4
226. bronzer v 13
227. brosse nf 3
228. brosser (se –) v 3, 15, 24
229. brûler v 25
230. brushing nm 3
231. buisson nm 16
232. bulletin de salaire nm 7
233. bulletin (de vote) nm 20
234. bureau de change nm 22
235. bureau des objets trouvés nm 23
236. bus nm 10, 11, 25

237. cabine nf 8
238. cabinet (médical) nm 2
239. câble nm 19
240. cabriolet nm 25
241. cache-pot nm 24
242. cadre nm [objet] 21, 24
243. cadre nm [personne] 7
244. cafard (avoir le –) loc v 6
245. cage nf 15
246. caisse nf 22
247. calcaire nm 14
248. calme adj, nm 5, 13
249. caméléon nm 15
250. caméraman n 21
251. camion nm 25
252. camionnette nf 25
253. camionneur nm 25
254. camp (de vacances) nm 11
255. campagne nf 11, 14
256. campagne (politique) nf 20
257. camping nm 11
258. camping-car nm 11
259. canal (pl : canaux) nm 13
260. canard nm 15
261. candidat/-e n 20
262. candidature nf 7
263. cane nf 15
264. caneton nm 15
265. canne à pêche nf 13
266. cantatrice nf 21
267. caoutchouteux/-euse adj 18
268. capital nm 22
269. capiteux/-euse adj 17
270. capot nm 25
271. capter v 19
272. caqueter v 15
273. car nm 10, 11, 25
274. caractère nm 5 ; avoir bon/mauvais –, loc v 5
275. caractéristique nf 25
276. carburant nm 26
277. cardiologue n 2
278. caresser v 15, 17
279. cargo nm 13
280. caricature nf 19
281. carnet nm 23
282. carnet d'adresses nm 23
283. carnet de chèques nm 22
284. carotte nf 16
285. carré nm 18
286. carré/-e adj 18
287. carte nf 12
288. carte (bancaire) nf 22
289. carte (d'assuré social) nf 23

290. carte (d'électeur) nf 20
291. carte (d'embarquement) nf 10
292. carte (de visite) nf 23
293. carte (téléphonique) nf 8
294. cascade nf 13
295. catastrophe nf 14
296. CDD (contrat à durée déterminée) nm 7
297. CDI (contrat à durée indéterminée) nm 7
298. cécité nf 17
299. cédérom (ou CD-Rom) nm 9
300. ceinture nf 4
301. centime nm 22
302. centre (d'art) nm 21
303. céramique nf 24
304. cercle nm 18
305. céréale nf 16
306. cerisier nm 16
307. chaîne nf 12, 19
308. châle nm 4
309. chambre nf 20
310. chambre d'hôte nf 11
311. chambre (d'hôtel) nf 11
312. chameau nm 15
313. champ nm 14, 16
314. changer v 22, 24
315. chant nm 21
316. chanteur/-euse n 21
317. chapeau nm 4
318. charges sociales nfpl 7
319. chasser v 15
320. chat nm 15
321. château nm 11, 21
322. chaton nm 15
323. chatte nf 15
324. chauffeur nm 25
325. chef d'orchestre nm 21
326. chêne nm 16
327. chèque nm 22
328. chéquier nm 22
329. cheval nm 15
330. chevalet nm 21
331. cheville nf 1
332. chèvre nf 15
333. chevreau nm 15
334. chic adj inv 4
335. chien nm 15
336. chienne nf 15
337. chiot nm 15
338. chirurgical/-e adj 2
339. chirurgien/-ienne n 2
340. chœur nm 21
341. chômage nm 7, 20
342. chômeur/-euse n 7, 20
343. chorale nf 21
344. chorégraphe n 21
345. chorégraphie nf 21
346. choriste n 21
347. chute (d'eau) nf 13
348. ciel nm 14
349. cigarette nf 23
350. cinéma nm 21
351. cinématographique adj 21
352. circuit nm 11
353. circulation nf 10, 25
354. cire nf 24
355. ciré nm 13
356. cirer v 24
357. cirque nm 21
358. ciseaux nm 3
359. clair/-e adj 14, 17
360. classe nf : avoir de la – loc v 4
361. classe nf : première/seconde – 10 ; – économique/affaires 10
362. classique adj 21
363. clavier nm 9
364. clé nf 23
365. clé USB nf 9
366. cliché nm 21
367. client/-e n 22
368. clignotant nm 25
369. clim [fam] nf 25
370. climatisation nf 25
371. clinique nf 2
372. cliquer v 9

373. clouer v 24
374. clown nm 21
375. club de vacances nm 11
376. cochon nm 15
377. code nm 22, 25
378. cœur nm 2
379. cœur (avoir mal au –) loc v 2
380. coffre nm 25
381. coiffer (se –) v 3
382. coiffeur/-euse n 3
383. coiffeuse nf 24
384. colère nf 6
385. coléreux/-euse adj 6
386. collant/-e adj 18
387. colle nf 24
388. coller v 24
389. collier nm 4
390. colline nf 14
391. colonie (de vacances) nf 11
392. colza nm 16
393. combinaison de plongée nf 13
394. combiné nm 8
395. comédie nf 21
396. comédien/-ienne n 21
397. comète nf 14
398. commerce nm 19
399. communication nf 8
400. compact/-acte adj 18, 25
401. compagnie nf 15
402. compagnie (être de bonne –) loc v 5
403. composer v 8, 22
404. composter v 10
405. comprimé nm 2
406. compte nm 22
407. compteur nm 25
408. concert nm 21
409. condition nf 20
410. conditions (de travail) nf 7
411. conducteur/-trice n 25
412. conduire v 25
413. conduite nf 25
414. cône nm 18
415. conférence nf
416. conférencier/-ière n 21
417. confidentiel/-ielle adj 22
418. conflit nm 20
419. confort nm 25
420. confortable adj 25
421. congé nm 7, 11
422. congés payés nmpl 7
423. conique adj 18
424. connecter (se –) v 9, 19
425. connexion nf 19
426. conseiller/-ère n 22
427. conservatoire nm 21
428. consistance nf 18
429. consistant/-ante 18
430. console nf 24
431. consommation nf 25
432. consommer v 25
433. consultation nf 2
434. consulter v 2
435. contact (mettre/couper le –) nm 25
436. contemporain/-aine adj 21
437. continent nm 12
438. contrat nm 7
439. contrebassiste n 21
440. contrôler v 10
441. contrôleur nm 10
442. convalescence (en –) nf 2
443. convoqué/-e adj 7
444. convoquer v 7
445. coordonnées nf 7, 8
446. coq nm 15
447. coquelicot nm 16
448. coquillage nm 13
449. corps nm 1
450. corps céleste nm 14
451. correspondance nf 10
452. costume nm 21
453. costumière nf 21
454. cote nf 22
455. côte nf 13, 14
456. côté (mettre de l'argent de –)

loc v 22
457. cotisation nf 7
458. coton nm 4
459. cou nm 1
460. couché/-e adj 1
461. coucher nm 14
462. coucher (se –) v 1, 14
463. couchette nf 10
464. coude nm 1
465. coup de fil nm 8
466. coup de foudre nm : avoir un – loc v 6
467. coup de peigne nm 3
468. coupe nf 24
469. coupé nm 25
470. couper v 23
471. couper (le contact) v 25
472. courage nm 5
473. courageux/-euse adj 5
474. courant nm 13
475. courant (électrique) nm 24
476. courir v 1
477. courrier électronique nm 9
478. cours d'eau nm 12, 13
479. court métrage nm 21
480. couver v 15
481. covoiturage nm 19
482. crabe nm 13
483. craindre v 6
484. crainte nf 6
485. créditer v 22
486. crème nf 3
487. crépuscule nm 14
488. crevette nf 13
489. crique nf 14
490. crocodile nm 15
491. croisière nf 11, 13
492. croquis nm 21
493. crustacé nm 13
494. cube nm 18
495. cubique adj 18
496. cueillir v 16
497. cuir nm 4
498. cuisse nf 1
499. cuivre nm 24
500. cultivateur/-trice n 16
501. cultiver v 16
502. culture nf 16, 21
503. culturel/-elle adj 21
504. CV (curriculum vitae) nm 7
505. cybercafé nm 9
506. cyclable adj 25
507. cycliste n 25
508. cyclone nm 14
509. cylindre nm 18
510. cylindrique adj 18

511. daim nm 4
512. danger nm 25
513. dangereux/-euse adj 25
514. danse nf 21
515. danser v 11
516. danseur/-euse n 21
517. dater v 22
518. dauphin nm 15
519. débat nm 19
520. débiter v 22
521. debout adv 1
522. décalage horaire nm 12
523. décaper v 24
524. déception nf 6
525. décevoir v 6
526. décharger v 18
527. déchetterie nf 26
528. déclaration de perte nf 23
529. déclarer v 12
530. décollage nm 10
531. décolorer v 3
532. décor nm 21
533. décorateur/-trice n 21
534. décoratif/-ive adj 24
535. décorer v 24
536. découvert (à –) loc 22
537. découvrir v 11
538. décrasser (se –) v 3
539. décrocher v 8

540. déçu/-e adj 6
541. défaut nm 5
542. défendre v 20
543. déficitaire adj 22
544. défiler v 20
545. défriser v 3
546. déguster v 17, 18
547. délester v 18
548. délicat/-ate 17, 18
549. délivrer v 2
550. demander (un prêt) v 22
551. demandeur/-euse d'emploi n 7
552. démarrer v 25
553. démonté/-e adj 13
554. démuni/-e adj 22
555. dent nf 2
556. dentiste n 2
557. déodorant nm 3
558. départ nm 10
559. dépassement nm 25
560. dépasser v 25
561. dépenser v 22
562. dépensier/-ière adj 22
563. déposer v 22
564. dépouiller v 20
565. député/-e n 20
566. dériver v 12
567. dermato [fam] n 2
568. dermatologue n 2
569. désactiver v 9
570. désagréable adj 5
571. descendre v 13
572. désert nm 12, 14
573. désert/-e adj 12
574. désertification nf 12
575. désertique adj 12
576. désinvolte adj 5
577. désinvolture nf 5
578. dessin nm 21
579. dessinateur/-trice n 21
580. dessiner v 11, 21
581. destination nf 11
582. détendre (se –) v 1, 11
583. détester v 6
584. dette nf 22
585. deux-roues nm 25
586. devis nm 22
587. devise nf 22
588. devoir (de l'argent) v 22
589. diamant nm 4
590. différé (en –) loc inv 19
591. diffusé/-e adj 19
592. diffuser v 21
593. digérer v 2
594. dimension nf 18
595. dinde nf 15
596. dindon nm 15
597. dindonneau nm 15
598. diplôme nm 7
599. direct/-e adj 10
600. direct (en –) loc inv 19
601. diriger v 21
602. discret/-ète adj 4
603. disque dur nm 9
604. disquette nf 9
605. distinguer v 17
606. distributeur (automatique) nm 22
607. docteur nm 2
608. documentaire nm 19
609. doigt nm 1
610. domestique adj 10, 15
611. dompteur/-euse n 21
612. donner (un concert/ une conférence) v 21
613. dormant/-e adj 13
614. dos nm 1
615. douane nf 10, 12
616. doubler v 25
617. douceur nf 5
618. douche nf 3
619. doux/douce adj 5, 12, 13, 17, 18
620. drame nm 21
621. drap de bain nm 3
622. DRH (directeur des ressources

956. informatique nf 7, 9
957. ingénieur (du son) n 21
958. injection nf 2
959. inodore adj 17, 18
960. inondation nf 14
961. inquiet/-iète adj 6
962. inquiétude nf 6
963. insipide adj 17, 18
964. installer v 24
965. instrumentiste n 21
966. intelligence nf 5
967. intelligent/-ente adj 5
968. interdiction nf 25
969. interdire v 25
970. intérêt nm 22
971. intérim nm 7
972. international/-e adj 10
973. internaute n 9, 19
974. Internet nm 9, 19
975. interpréter v 21
976. intervention nf 2
977. introduire v 8
978. invisible adj 17
979. isoloir nm 20

980. jambe nf 1
981. jardin nm 16
982. jardinerie nf 16
983. jardinier/-ière n 16
984. jars nm 15
985. jazz nm 21
986. jeu nm 19
987. jeunesse nf 20
988. job nm 7
989. joindre v 8
990. jonquille nf 16
991. jouer v 21
992. jour nm 14
993. journal nm 19
994. journaliste n 19
995. joyeux/-euse adj 5
996. jumelles nfpl 14
997. jument nf 15
998. kiné [fam] n 2
999. kinésithérapeute n 2
1000. kiosque nm 19

1001. label nm 26
1002. laboratoire nm 2
1003. lac nm 12, 14
1004. lac (artificiel) nm 13
1005. laid/laide adj 4
1006. laine nf 4
1007. laisser (des coordonnées/
      un message) v 8
1008. lampadaire nm 24
1009. lampe nf 24
1010. lampe de chevet nf 24
1011. langue nf 7
1012. lapereau nm 15
1013. lapin nm 15
1014. lapine nf 15
1015. large nm 13
1016. largeur nf 18
1017. lecteur nm 9
1018. lecteur/-trice n 19
1019. léger/-ère adj 17
1020. législatif/-ive adj 20
1021. légume nm 16
1022. lent/-e adj 5
1023. lenteur nf 5
1024. léopard nm 15
1025. lester v 18
1026. lever nm 14
1027. lever (se –) v 1, 14
1028. levier de vitesse nm 25
1029. lézard nm 15
1030. licencié/-e adj 7
1031. licenciement nm 7
1032. ligne nf 8, 25 ; (en –) loc 8
1033. lilas nm 16
1034. lime (à ongles) nf 23
1035. limitation nf 25
1036. limiter v 25
1037. lin nm 4
1038. lion nm 15

1039. lionceau nm 15
1040. lionne nf 15
1041. liquide adj 18 ; argent –, 22
1042. lisse adj 17
1043. liste nf 20
1044. livreur nm 25
1045. local/-e adj 8j
1046. location nf 11
1047. logeable adj 25
1048. logiciel nm 9
1049. loi nf 20
1050. longueur nf 18
1051. loup nm 15
1052. lourd/-e adj 17
1053. louve nf 15
1054. lumière nf 24
1055. luminaire nm 24
1056. lune nf 14
1057. lustre nm 24

1058. machiniste nm 21
1059. magazine nm 19
1060. magnifique adj 4
1061. maigre adj 1
1062. maigrir v 1
1063. maillot (de bain) nm 13
1064. main nf 1, 17
1065. maire nm 20
1066. maïs nm 16
1067. majorité nf 20
1068. mal (aller –) loc v 2, 4
1069. mal (avoir – à) loc v 2
1070. malade adj 2
1071. maladie nf 2
1072. mâle nm 15
1073. malentendant/-ante adj 17
1074. malheureux/-euse adj 5
1075. malin/-igne (ou -ine) adj 5, 15
1076. malodorant/-ante adj 17
1077. malvoyant/-ante adj, n 17
1078. manguier nm 16
1079. manif [fam] nf 20
1080. manifestant/-ante n 20
1081. manifestation nf 20
1082. manucure nf 3
1083. maquillage nm 23
1084. maquiller (se –) v 3
1085. maraîcher/-ère n, adj 16
1086. marchandise nf 13
1087. marche arrière nf 25
1088. mare nf 13
1089. marée (basse/haute) nf 13
1090. marguerite nf 16
1091. marin nm 13
1092. marine nf 13, 21
1093. marinier nm 13
1094. maroquinerie nf 4
1095. marronnier nm 16
1096. marteau nm 24
1097. mascara nm 3
1098. masque nm 3
1099. massage nm 3
1100. masser (se –) v 2
1101. massif nm 12, 16
1102. matelot nm 13
1103. matériel nm 21
1104. matière nf 4
1105. maux pl de mal nm 2
1106. méchant/-ante adj 5
1107. médecin nm 2
1108. média nm 19
1109. médical/-e adj 2
1110. médicament nm 2
1111. meeting nm 20
1112. mémoire nf 9 ; mettre en –,
      loc v 9
1113. mener (une campagne) loc v 20
1114. mensonge nf 5
1115. mensuel nm 19
1116. mensuel/-uelle adj 19
1117. menteur/-euse adj 5
1118. menuisier nm 24
1119. mer nf 11, 12, 13, 14
1120. message nm 8
1121. mesurer v 18
1122. métal nm 24

1123. mètre pliant nm 24
1124. metteur en scène nm 21
1125. mettre bas loc v 15
1126. meuble nm 24
1127. meugler v 15
1128. miauler v 15
1129. micro nm 9
1130. microscopique adj 18
1131. mime nm 21
1132. mince adj 1
1133. minibus nm 25
1134. ministre nm 20
1135. minuscule adj 18
1136. miroir nm 24
1137. miroir de poche nm 23
1138. mis/-e en scène adj 21
1139. mobile (téléphone) nm 8
1140. moche adj 4
1141. mode nf 4
1142. modeste adj 5
1143. modestie nf 5
1144. moelleux/-euse adj 18
1145. moisson nf 16
1146. moissonner v 16
1147. mollesse nf 5
1148. mollet nm 1
1149. monde nm 12
1150. moniteur/-trice n 11
1151. monnaie nf 22
1152. monospace nm 25
1153. montage nm 21
1154. montagne nf 11, 13, 14
1155. montagneux/-euse adj 12
1156. montant nm 22
1157. monter (dans le train/l'avion/le
      bus/le car) v 10
1158. monter v 13, 21, 22
1159. moquette nf 24
1160. morceau nm 21
1161. mot d'ordre nm 20
1162. motard/-arde n 25
1163. moteur nm 25
1164. motivation (lettre de –) nf 7
1165. moto nf 25
1166. motocycliste n 25
1167. mou/molle adj 5, 17, 18
1168. mouchoir nm 23
1169. mouton nm 15
1170. mouvement nm 1, 20, 21
1171. muguet nm 16
1172. municipal/-e adj 20
1173. mur nm 24
1174. muscle nm 1
1175. muscler (se –) v 1
1176. musée nm 21
1177. musical/-e adj 21
1178. musicien/-ienne n 21
1179. musique nf 21
1180. myosotis nm 16

1181. nager v 13, 15
1182. national/-e adj 19, 20
1183. nature morte nf 2
1184. naturel nm 5
1185. naturel/-elle adj 5
1186. nauséabond/-onde adj 17
1187. nautique adj 13
1188. naval/-e adj 13
1189. navigable adj 13
1190. navigateur nm [informatique] 9
1191. naviguer v 9, 13, 14
1192. négligé/-e adj 4
1193. négocier v 20
1194. nerveux/-euse adj 5, 25
1195. nervosité nf 5
1196. net/nette adj 17
1197. nez nm 17
1198. niveau nm 7
1199. numéro v 20
1200. non-voyant/-ante adj, n 17
1201. nostalgie nf 6
1202. nostalgique adj 6
1203. nourrir v 15
1204. nu nm 21
1205. nuage nm 14
1206. nuit nf 14

1207. numéro nm 21

1208. objet nm 23, 24
1209. observatoire nm 14
1210. occupé/-e adj 8
1211. occuper (s'–) v 15
1212. océan nm 12, 13
1213. odeur nf 17
1214. odorant/-ante adj 17
1215. odorat nm 17
1216. œil (pl : yeux) nm 17
1217. œillet nm 16
1218. œuvre nf 21
1219. officier nm 13
1220. offre d'emploi nf 7
1221. offrir v 23
1222. OGM nm 26
1223. oie nf 15
1224. oignon nm 16
1225. oiseau nm 15
1226. oison nm 15
1227. onctueux/-euse adj 18
1228. opéra nm 21
1229. opération nf 2
1230. opérer v 2
1231. ophtalmo [fam] n 2
1232. ophtalmologue n 2
1233. opticien/-ienne n 2
1234. optimisme nm 5
1235. optimiste adj 5
1236. or nm 4
1237. oranger nm 16
1238. orchestre nm 21
1239. orchestré/-e adj 21
1240. ordinaire adj 4
1241. ordinateur nm 9 ; (–) portable,
      nm 9, 23
1242. ordonnance nf 2
1243. ordre nm 22
1244. oreille nf 17
1245. orge nf 16
1246. ornement nm 16
1247. orteil nm 1
1248. osier nm 24
1249. oublier v 23
1250. ouïe nf 17
1251. ouragan nm 14
1252. ours nm 15
1253. ourse nf 15
1254. outil nm 24
1255. ouvrier/-ière n 24
1256. ouvrir v 22, 23
1257. ovale adj, nm 18

1258. paiement nm 22
1259. paillasson nm 24
1260. paire nf 4
1261. palette nf 21
1262. panier percé loc 22
1263. panier v 6
1264. panneau nm 25
1265. panneau solaire nm 26
1266. pansement nm 2
1267. papier peint nm 24
1268. papiers (d'identité) nmpl 3
1269. paquebot nm 13
1270. paquet nm 23
1271. parabole nf 19
1272. parapluie nm 23
1273. pare-brise nm 25
1274. pare-chocs nm 25
1275. paresse nf 5
1276. paresseux/-euse adj 5
1277. parfum nm 3, 23
1278. parfumé/-e adj 18
1279. parfumer (se –) v 3
1280. parlement nm 20
1281. part nf 8
1282. parti nm 20
1283. partir v 10,
1284. partir (en tournée) v 21
1285. partir (en voiture/camping-car/
      train/bus/car/bateau/avion)
      v 11
1286. partir à la retraite loc v 7
1287. parution nf 19

1288. passage clouté/piétons nm 25
1289. passager/-ère n 10
1290. passeport nm 10, 23
1291. passer la frontière loc v 12
1292. passer le permis de conduire loc v 25
1293. passer les vacances loc v 11
1294. passer un coup de fil loc v 8
1295. passer (une personne/ une communication) v 8
1296. passif/-ive adj 5
1297. passion nf 6
1298. passionnant/-ante adj 6
1299. passionné/-e adj 6
1300. pastille nf 2
1301. patère nf 24
1302. patient/-iente n 2
1303. patienter v 8
1304. patron/-onne n 7
1305. pauvre adj 22
1306. paye nf 7
1307. payer v 22
1308. pays nm 12
1309. péage nm 10
1310. peau nf 4
1311. pêche nf 11, 13
1312. pêcher nm 16
1313. pêcher v 15
1314. pêcheur nm 13
1315. pédale nf 25
1316. pédiatre n 2
1317. pedigree nm 15
1318. peigne nm 3, 23
1319. peigner (se –) v 3
1320. peignoir nm 3
1321. peindre v 11, 21
1322. peintre n 21, 24
1323. peinture nf 21, 24
1324. peinture à l'huile nf 21
1325. pelouse nf 16
1326. pendentif nm 4
1327. péniche nf 13
1328. pépier v 15
1329. perception nf 17
1330. perceuse nf 24
1331. percevoir v 17
1332. perdre v 23
1333. périodique nm, adj 19
1334. perle nf 4
1335. permis de conduire nm 23, 25
1336. perroquet nm 15
1337. persistant/-e adj 16
1338. personnel nm 7
1339. personnel/-elle adj 23
1340. pesant/-ante adj 18
1341. peser v 18
1342. pessimisme nm 5
1343. pessimiste adj 5
1344. pesticides nm 26
1345. pestilentiel/-ielle adj 17
1346. petit nm 15
1347. peuplier nm 16
1348. peur nf 6
1349. peureux/-euse adj 6
1350. phare nm 13, 25
1351. pharmacie nf 2
1352. phobie nf 6
1353. photo nf 21, 24
1354. photographe nm 21
1355. photographie nf 19, 21, 24
1356. photographier v 21
1357. pianiste n 21
1358. pièce nf 21
1359. pièce (de monnaie) nf 22, 23
1360. pièce d'identité nf 22
1361. pied nm 1, 16
1362. pierre nf 14, 21, 24
1363. pierre précieuse nf 4
1364. pimenté/-e adj 18
1365. pince nf 24
1366. pinceau nm 21, 24
1367. piqûre nf 2
1368. piste nf 10, 14, 25
1369. place nf 10
1370. placement nm 22
1371. placer v 22

1372. plage nf 11, 13, 14
1373. plaine nf 12, 14
1374. plaisance nf 13
1375. plaisancier nm 13
1376. planche à voile nf 13
1377. plancher nm 24
1378. plant nm 16
1379. plante nf 16
1380. planter v 16
1381. plastique (art –) adj 21
1382. plat/-e adj 13
1383. platane nm 16
1384. plateau nm 12
1385. plein tarif loc inv 10
1386. plein temps loc inv 7
1387. pleine mer loc inv 13
1388. plier v 1
1389. plombier nm 24
1390. plongée sous-marine nf 13
1391. plonger v 15
1392. plume nf 21
1393. poids nm 18
1394. poids lourd nm 18, 25
1395. poignet nm 1
1396. poirier nm 16
1397. poisson nm 13, 15
1398. poitrine nf 1
1399. poivré/-e adj 17, 17
1400. pôle nm 12
1401. poli/-e adj 5
1402. police nf 20, 25
1403. policier nm 25
1404. politesse nf 5
1405. politique adj 20
1406. politique nf 19, 20
1407. polluer v 26
1408. pollution nf 26
1409. pommade nf 2
1410. pommier nm 16
1411. poncer v 24
1412. pondre v 15
1413. pont nm 13
1414. pop (musique –) nf 21
1415. porc nm 15
1416. porcelet nm 15
1417. port nm 13
1418. portable (ordinateur) nm 9, 23
1419. portable (téléphone) nm 8
1420. porte-documents nm 23
1421. portefeuille nm 4, 23
1422. portemanteau nm 24
1423. porte-monnaie nm 23
1424. portière nf 25
1425. portrait nm 21
1426. poser v 24
1427. positif/-ive adj 7
1428. position nf 1
1429. poste nm 7
1430. poste fixe nm 8
1431. postuler v 7
1432. pot nm 21
1433. pot de peinture nm 3
1434. potager nm 16
1435. potager/-ère adj 16
1436. poudrier nm 23
1437. poulain nm 15
1438. poule nf 15
1439. poulet nm 15
1440. pousser v 16
1441. poussin nm 15
1442. pouvoir nm 20
1443. pré nm 14
1444. première (classe) nf 10
1445. prendre (des vacances/ des congés) loc v 11
1446. prendre (la voiture/le train/le bus/le car/l'avion) loc v 10
1447. prendre un bain/une douche loc v 3
1448. prendre un bain de mer 13
1449. prendre un bain de soleil 11, 13
1450. prendre (un message) 8
1451. prendre (une chambre d'hôtel/ une location) loc v 11
1452. prendre sa retraite loc v 7
1453. préoccupation nf 6

1454. présentateur/-trice n 19
1455. présenter (se –) v 20, 24
1456. préserver v 26
1457. président nm 20
1458. présidentiel/-ielle adj 20
1459. presse nf 19
1460. prêt nm 22
1461. prétentieux/-ieuse adj 5
1462. prétention nf 5
1463. prévision (météo) nf 19
1464. printemps nm 16
1465. priorité nf 25
1466. prise nf 24
1467. prise de vue nf 21
1468. procès-verbal nm 25
1469. proclamer v 20
1470. produire v 16
1471. professionnel/-elle n, adj 24
1472. programme nm 9, 19, 20
1473. projection nf 21
1474. projectionniste n 21
1475. projeter v 21
1476. promener (se –) v 11
1477. promulguer v 20
1478. propre adj 3
1479. protéger (se –) v 26
1480. psychiatre n 2
1481. psychologue n 2
1482. public nm 19
1483. puer v 17
1484. puissance nf 25
1485. puissant/-ante adj 25
1486. pur/-e adj 15

1487. quai nm 10
1488. qualification nf 7
1489. qualité nf 5
1490. quelconque adj 4
1491. quintal nm 18
1492. quitter v 8, 9
1493. quotidien nm 19

1494. raccourcir v 18
1495. raccrocher v 8
1496. race nf 15
1497. racine nf 16
1498. radin/-ine adj 22
1499. radio nf 19
1500. radio(logie) nf 2
1501. radiologue n 2
1502. raffiné/-e adj 4
1503. raide adj 18
1504. raie nf 15
1505. raisin nm 16
1506. ralentir v 25
1507. rallonger v 18
1508. ramasser v 16
1509. rame nf 13
1510. ramper v 15
1511. randonnée nf 11
1512. rapide adj 5, 25
1513. rapidité nf 5
1514. rappeler v 8
1515. rapporter v 22
1516. rapprocher v 1
1517. raser (se –) v 3
1518. rasoir nm 3
1519. rassemblement nm 20
1520. rat nm 21
1521. ravin nm 12
1522. ravissant/-ante adj 4
1523. raz de marée nm 14
1524. réalisateur/-trice n 21
1525. recevoir v 19
1526. recharger v 8
1527. rêche adj 17
1528. recherche nf 7
1529. recherché/-e adj 4
1530. récital nm 21
1531. récolte nf 16
1532. récolter v 16
1533. recommandation (lettre de –) nf 7
1534. recommencer v 1
1535. recruter v 7
1536. rectangle nm 18

1537. rectangulaire adj 18
1538. reçu nm 22
1539. reculer v 25
1540. recycler v 26
1541. rédacteur/-trice en chef nm 19
1542. redouter v 6
1543. réduction nf 10
1544. rééducation nf 2
1545. rééduquer (se –) v 2
1546. refuser v 25
1547. regardant/-ante adj 22
1548. regarder v 17, 19
1549. région nf 11
1550. régional/-e adj 19
1551. règle nf 25
1552. règlement nm 22
1553. régler v 22
1554. regret nm 6
1555. regretter v 6
1556. relevé/-e adj 18
1557. relief nm 12
1558. rembourser v 22
1559. remords nm 6
1560. remplir v 22
1561. remporter v 20
1562. rémunéré/-e adj 7
1563. rencontre (sportive) nf 19
1564. rendez-vous nm 7
1565. rendre v 2
1566. rendre la monnaie v 22
1567. réparer v 24
1568. repeindre v 24
1569. répertoire nm 23
1570. répondeur nm 8
1571. reportage nm 19
1572. reposer (se –) v 2, 11
1573. reprise nf 25
1574. reproduction nf 24
1575. reproduire (se –) v 15
1576. république nf 20
1577. requin nm 15
1578. réseaux sociaux nm 20
1579. réservé/-e adj 5
1580. réserver v 10
1581. respecter v 25
1582. ressentir v 6
1583. résultat nm 20
1584. retenue (d'eau) nf 13
1585. retirer v 22, 25
1586. retrait nm : faire un –, loc v 23
1587. retraite nf 7, 20
1588. retransmis/-ise adj 19
1589. rétrécir v 18
1590. retrouver v 23
1591. rétroviseur nm 25
1592. réveiller (se –) v 12
1593. revendication nf 20
1594. revenir v 20
1595. revue nf 19
1596. riche adj 22
1597. rideau nm 24
1598. rigide adj 17, 18
1599. rincer (se –) v 3
1600. ringard/-arde adj 4
1601. rive nf 13
1602. rivière nf 12, 13, 14
1603. robinet nm 24
1604. rocher nm 12, 13, 14
1605. rocheux/-euse adj 14
1606. rock nm 21
1607. rôle nm 21
1608. rond/-e adj 18
1609. rose nf
1610. roue nf 25
1611. rouge (en –, dans le –) loc 22
1612. rouge à lèvres nm 3
1613. rouleau nm 24
1614. rouler v 25
1615. route nf 10, 25
1616. route (mettre en –) loc v 25
1617. routier/-ière adj 25
1618. rubrique nf 19
1619. rugir v 15
1620. rugueux/-euse adj 17
1621. ruisseau nm 12, 13

1622. sable nm 12, 13, 14
1623. sablonneux/-euse adj 14
1624. sac nm 23
1625. sac à main nm 4, 23
1626. sac de voyage nm 23
1627. sacoche nf 23
1628. salade nf 16
1629. salaire nm 7
1630. salarié/-e n 7
1631. salé/-e adj 12, 17, 18
1632. salle (de cinéma) nf 21
1633. salon nm 21
1634. salon de beauté nm 3
1635. salon de coiffure nm 3
1636. sang nm 2
1637. santé nf 2
1638. sapin nm 16
1639. Saturne nm 14
1640. saule pleureur nm 16
1641. sauter v 1, 15
1642. sauvegarder v 9
1643. saveur nf 17, 18
1644. savon nm 3
1645. savonner (se –) v 3
1646. savoureux/-euse adj 17, 18
1647. saxophoniste n 21
1648. scander v 20
1649. scanner [skanɛʀ] nm 9
1650. scanner [skane] v 9
1651. scie nf 24
1652. scooter nm 25
1653. scrutin nm 20
1654. sculpter v 21
1655. sculpteur nm 21
1656. sculpture nf 21
1657. se tromper (de numéro) v 8
1658. sec/sèche adj 12, 18
1659. sécher (se –) v 3
1660. séchoir nm 3
1661. seconde (classe) nf 10
1662. sécurité nf 25
1663. séisme nm 14
1664. sélectionner v 9
1665. semer v 16
1666. Sénat nm 20
1667. sénateur/-trice n 20
1668. sens nm 17
1669. sens unique/interdit nm 25
1670. sensible adj 6
1671. sentier nm 14
1672. sentiment nm 6
1673. sentimental/-e adj 6
1674. sentir v 17, 18
1675. sentir (se –) v 2
1676. série nf 19
1677. sérieux nm 5
1678. sérieux/-euse adj 5
1679. serpent nm 15
1680. serre nf 16
1681. serviette nf 23
1682. serviette (de toilette) nf 3
1683. shamp(o)oing nm 3
1684. siège nm 25
1685. sieste nf 11
1686. signalisation nf 25
1687. signer v 22
1688. simple adj 5
1689. simplicité nf 5
1690. singe nm 15
1691. ski nautique nm 13
1692. slogan nm 20
1693. SMS nm 8
1694. sociabilité nf 5
1695. sociable adj 5
1696. social/-e adj 20
1697. soie nf 4
1698. soigner v 15
1699. soigner (se –) v 2
1700. soin nm 3
1701. sol nm 14, 24
1702. soleil nm 14
1703. solide adj 18
1704. soliste n 21
1705. solo nm 21
1706. somme nf 22
1707. sonore adj 21

1708. sophistiqué/-e adj 5
1709. souci nm 6
1710. souffrir v 2
1711. soupeser v 18
1712. souple adj 17, 18
1713. source nf 13
1714. sourd/sourde adj 17
1715. souris nf 9, 15
1716. sou nm : être près de ses –
       loc v 22
1717. spacieux/-euse adj 25
1718. spécialiste n 2
1719. spectacle nm 19, 21
1720. sphère nf 18
1721. sphérique adj 18
1722. sport nm 19, 20
1723. spot nm 24
1724. stage nm 7, 11
1725. stagiaire n 7
1726. station nf 11, 19
1727. station balnéaire nf 11
1728. stationnement nm 25
1729. stationner v 25
1730. statue nf 21, 24
1731. statuette nf 21, 24
1732. steward nm 10
1733. stocker v [informatique] 9
1734. stop nm 25
1735. stupide adj 5
1736. stupidité nf 5
1737. stylo nm 23
1738. subir v 2
1739. subtil/-ile adj 17, 18
1740. succulent/-ente adj 17
1741. sucré/-e adj 17, 18
1742. suivre v 25
1743. suivre l'actualité loc v 19
1744. suivre la mode loc v 4
1745. suivre une manisfestation
       loc v 20
1746. superbe adj 4
1747. sûr/sûre adj 25
1748. surcharger v 18
1749. surdité nf 17
1750. surf nm 13
1751. surface nf 18
1752. surfer v 9
1753. surpris/-ise adj 6
1754. surprise nf 6
1755. sympathie nf 5
1756. sympathique adj 5
1757. symphonie nf 21
1758. syndicat nm 20
1759. syndiquer (se –) v 20

1760. table de chevet nf 24
1761. tableau nm 21
1762. tableau de bord nm 25
1763. tablette nf 9
1764. taille nf 25
1765. tailler (se –) v 3
1766. talon nm 1
1767. taper v 9
1768. tapis nm 24
1769. tapisser v 24
1770. tapisserie nf 24
1771. tâter v 18
1772. taureau nm 15
1773. teindre (se –) v 3
1774. téléphone nm 8
1775. téléphone (portable) nm 23
1776. téléphoner v 8
1777. téléphonique adj 8
1778. télescope nm 14
1779. téléspectateur/-trice n 19
1780. télévision nf 19
1781. température (avoir de la –)
       loc v 2
1782. temps nm 14
1783. temps partiel loc m 7
1784. tendance nf, adj inv 4
1785. tendre adj 18
1786. tendu/-e adj 1
1787. tenir la route loc v 25
1788. tente nf 11
1789. tenture nf 24

1790. tenue de route nf 25
1791. Terre nf 12, 14,
1792. terre [matière] nf 24
1793. terrestre adj 12
1794. tête nf 1
1795. texto nm 8
1796. TGV nm 10
1797. théâtral/-e adj 21
1798. théâtre nm 21
1799. ticket nm 22
1800. tigre nm 15
1801. tigresse nf 15
1802. timide adj 5
1803. timidité nf 5
1804. tirage nm 21
1805. titre nm 19
1806. titre (de transport) nm 23
1807. toile nf 9, 21
1808. toilette nf 3
1809. toiletter v 15
1810. toit ouvrant nm 25
1811. tomate nf 16
1812. tombée nf 14
1813. tomber v 14
1814. tondre v 15
1815. tondu/-e adj 16
1816. tonne nf 18
1817. torrent nm 14
1818. tortue nf 15
1819. touche nf 9
1820. toucher nm 17
1821. toucher v 7, 17, 18
1822. tour nm 20
1823. tourisme nm 11
1824. tournée nf 21
1825. tourner v 21
1826. tournevis nm 24
1827. tract nm 20
1828. tracteur nm 16
1829. tragédie nf 21
1830. tragique adj 21
1831. train nm 10, 11
1832. traitement nm 2
1833. traitement de texte nm 9
1834. traiter v 16
1835. tranquille adj 5
1836. tranquillité nf 5
1837. transférer v 8
1838. transmettre (un message) v 8
1839. transport nm 11, 20
1840. transporter v 25
1841. travail nm 7, 20
1842. travailleur/-euse n 20
1843. traverser v 13
1844. tremblement de terre nm 14
1845. trimestriel/-ielle adj 19
1846. trio nm 21
1847. triste adj 5
1848. tristesse nf 5
1849. trompettiste n 21
1850. tronc nm 16
1851. tropique nm 12
1852. trouille [fam] nf 6
1853. troupe nf 21
1854. trousse de maquillage nf 23
1855. trousse de toilette nf 23
1856. trousseau (de clés) nm 23
1857. truie nf 15
1858. tsunami nm 14
1859. tube nm 21
1860. tulipe nf 16

1861. une nf 19
1862. unité centrale nf 9
1863. urne nf 20

1864. vacances nfpl 7, 11
1865. vacancier/-ière n 11
1866. vacciner v 15
1867. vache nf 15
1868. vague nf 13, 14
1869. valeur nf 4, 22
1870. valise nf 23
1871. vallée nf 12
1872. vantard/-arde adj 5
1873. vantardise nf 5

1874. vaporisateur nm 23
1875. variété nf 21
1876. variétés nfpl 19
1877. vase nm 24
1878. veau nm 15
1879. végétation nf 12
1880. végétaux nmpl 16
1881. véhicule nm 25
1882. veille (mettre en –) loc v 9
1883. vélo nm 25
1884. vélomoteur nm 25
1885. vendanges nfpl 16
1886. vendanger v 16
1887. ventre nm 1
1888. verbaliser v 25
1889. verger nm 16
1890. vernir v 24
1891. vernis nm 24
1892. vernis à ongles nm 3
1893. vernissage nm 21
1894. verre nm 24
1895. versement nm 22
1896. verser v 22
1897. vétérinaire n 15
1898. vie nf 17
1899. vieillot/-otte adj 4
1900. vigne nf 16
1901. vigneron/-onne n 16
1902. vilain/-aine adj 4
1903. village nm 14
1904. village de vacances nm 11
1905. vinyle nm 4
1906. violoncelliste n 21
1907. violoniste n 21
1908. virage nm 25
1909. virement nm 22
1910. virer v 22
1911. virtuose n 21
1912. visible adj 17
1913. visite nf 21
1914. visser v 24
1915. visuel/-uelle adj 17
1916. vital/-e adj 15
1917. vitesse nf 25
1918. viticulteur/-trice n 16
1919. vivarium nm 15
1920. voie nf 13
1921. voile nf 11
1922. voiture nf 10, 11, 25 ;
       [bar] nf 19
1923. voiture-restaurant nf 10
1924. voix nf 20
1925. vol nm 10
1926. volaille nf 15
1927. volant nm 25
1928. volcan nm 12, 14
1929. volcanique adj 12
1930. voler v 15
1931. volière nf 15
1932. vomir v 2
1933. voter v 20
1934. voyage nm 10, 23
1935. voyage organisé nm 11
1936. voyager v 10, 23
1937. voyant/-ante adj 4
1938. vulgaire adj 4

1939. wagon [voiture] nm 10
1940. wagon-lit nm 10
1941. webcam nf 9

1942. yeux (pl de œil) nm 17

1943. zèbre nm 15
1944. zoo nm 15

CORRIGÉS DES EXERCICES

■ Chapitre 1, *p. 6-10*

CO p. 6 : 1. se mettre à genoux, le dos rond – **2.** pour se muscler avant les vacances – **3.** Non, elles vont aller à un cours de yoga, qui sera plus tranquille.

CO p. 7 : 1. Marie-Hélène : mange du chocolat, fait un régime alimentaire, mange beaucoup de fromage, va au travail en voiture, ne mange pas de dessert. Anne : fait de l'exercice. – **2.** Elle a grossi du ventre et des fesses. – **3.** Tu pourrais faire un quart d'heure de gymnastique chez toi, le matin. Mange moins de fromage et de chocolat. – **4.** C'est de manger du chocolat.

1. verbes : écarter, plier, lever, tourner, faire mal, se détendre, se mettre (à genoux), balancer, s'allonger, rester (contre le sol), se relever, s'asseoir, se muscler, rester mince, prendre du ventre, bouger, faire de l'exercice, grossir – parties du corps : la tête, les bras, le corps, les pieds, les genoux, les jambes, les hanches, le ventre, les mains, la poitrine, les épaules, le dos, les fesses

2. 1. le genou – **2.** le poignet – **3.** la cheville – **4.** le cou – **5.** les fesses – **6.** les hanches – **7.** la poitrine

3. 1. d – **2.** b, c, f – **3.** a, b, e, g – **4.** a, b, c, e, f, g – **5.** b, c, d, f, g – **6.** a, e, f, g – **7.** b, c, e, f, g

4. 1. i – **2.** e – **3.** f – **4.** j – **5.** h – **6.** k – **7.** a – **8.** g – **9.** b – **10.** c – **11.** d

5. 1. se balancer – **2.** marche – **3.** cours – **4.** m'asseoir – **5.** continuer, es en forme – **6.** monte

■ Chapitre 2, *p. 11-15*

CO p. 11 : 1. La mère de Michèle – **2.** Elle est tombée. – **3. 1.** Elle est allée voir un spécialiste à l'hôpital Saint-Louis. **2.** Elle a passé des radios. **3.** Elle a suivi des soins et un traitement. **4.** Elle a pris rendez-vous avec un chirurgien. **5.** Elle va être opérée. **6.** Elle va aller dans une maison de convalescence.

CO p. 12 : 1. phrases vraies : Antoine tousse. Il a mal à la tête. Il a le nez qui coule. Il a mal à la gorge. Il a un peu de fièvre. – **2.** Des gouttes dans le nez, des pastilles à sucer, des comprimés à prendre – **3.** lundi prochain – 25 euros.

1. le médecin : un spécialiste, l'hôpital, donner des soins, donner un traitement, un chirurgien, opérer, une opération, une clinique, donner des gouttes dans le nez, donner une ordonnance – le malade : se faire opérer, passer une radio, souffrir, aller dans une maison de convalescence, faire de la rééducation, ne pas se sentir bien, avoir mal à la tête/à la gorge, tousser, avoir le nez qui coule, avoir de la fièvre, tirer la langue, être fatigué, avoir une angine, prendre un comprimé, sucer une pastille, être en pleine forme, se reposer, rester tranquille

2. 1. une radiographie – **2.** la piqûre – **3.** ausculter – **4.** guérir

3. 1. hôpital, infirmière, pansement – **2.** ordonnance, température – **3.** pharmacie, comprimés

4. 1. e – **2.** g – **3.** h – **4.** a – **5.** c – **6.** d – **7.** b – **8.** f

5. 1. M – **2.** P – **3.** P – **4.** M – **5.** M – **6.** M – **7.** P – **8.** P – **9.** P – **10.** P – **11.** M

6. 1. mal, vomir, maux, fièvre – **2.** ausculter, souffrez-vous – **4.** traitement, analyses, médicament

■ Chapitre 3, *p. 16-20*

CO p. 16 : Adrienne prend sa douche, se rince les cheveux, se coiffe, se sèche les cheveux, se brosse les dents, s'habille. – La mère se maquille. – Le père se rase. Il n'y a qu'une seule salle de bains.

CO p. 17 : 1. Je vous teins en brune, je vous frise les cheveux, je vous coupe les cheveux au carré, je vous décolore en blonde. – **2.** Elle va se faire couper un peu les cheveux, elle veut se faire faire les ongles des mains.

1. la toilette : prendre une douche, se laver, se brosser les dents, se maquiller, se raser, une manucure, se faire les ongles – la coiffure : se laver les cheveux, se rincer les cheveux, (se) faire un shampoing, aller chez le coiffeur, se (faire) couper les cheveux courts, se coiffer, se peigner, se sécher les cheveux, changer de tête, être mal coiffé, teindre en brune, friser les cheveux, couper les cheveux au carré, faire un brushing, décolorer en blonde, (se faire faire) une petite coupe, (se donner) un coup de peigne

2. 1. h – **2.** f – **3.** d – **4.** e – **5.** b – **6.** c – **7.** a – **8.** g

3. 1. manucurer – **2.** s'essuyer – **3.** se faire faire une permanente – **4.** un soin de beauté

4. 1. coiffure – **2.** teinture – **3.** fond de teint – **4.** barbe – **5.** massage – **6.** épilation

5. positif : a, c, f, g – négatif : b, d, e

■ Chapitre 4, *p. 21-25*

CO p. 21 : 1. C'est une petite boutique branchée ; on y trouve des accessoires comme des chapeaux, des écharpes, des gants, des ceintures, des bijoux. – **2.** No elle les trouve trop grosses. – **3.** Les perles du collier sont vertes. – **4.** Il est tro cher : 120 euros – **5.** Une ceinture – **6.** Elle cherche un cadeau pour la fête de s mère. – **7.** Elle lui conseille une écharpe. – **8.** Elle achète une écharpe bleu ciel E coûte 110 euros. – **9.** Il faut se faire plaisir.

CO p. 22 : 1. Elle cherche le rayon maroquinerie/Elle cherche un sac. – **2.** ass grand, sport, en cuir naturel, à porter sur l'épaule – **3.** 180 euros **4.** « Je vais réfléch

1. accessoires : un chapeau, une écharpe, des gants, une ceinture, un bijou, d boucles d'oreilles, un collier, un béret, un sac – commentaires : branché, rigo de toutes les couleurs, original, magnifique, superbe, trop gros, ravissant, ce n' pas donné, magnifique, simple, voyant, classique, doux, à la mode, aller très bie raisonnable, assez grand, sport, en cuir naturel, (très) beau, décontracté, chic, modèle en plusieurs coloris, c'est votre style, une excellente qualité, indémodabl

2. 1. une écharpe – **2.** un pendentif – **3.** l'argent – **4.** le plastique – **5.** quelconq

3. 1. f – **2.** b, a – **3.** a – **4.** e – **5.** g, b – **6.** d, g – **7.** c

4. 1. or, diamant – **2.** lin, coton – **3.** peau – **4.** cuir – **5.** laine – **6.** perles – **7.** ve

5. phrases possibles : **1.** Je crois que ces boucles d'oreilles sont trop grosses po ta sœur. Elle est encore jeune et elle ne porte pas de bijoux aussi voyants. Ce ser vulgaire sur elle. Prends plutôt des boucles d'oreilles discrètes. – **2.** Je crois qu ce sac en vinyle est trop branché pour ta belle-mère. Choisis plutôt ce modèle cuir, de belle qualité et très classique, c'est tout à fait son style. – **3.** Je crois qu tailleur n'ira pas du tout pour ton nouveau travail ; il est beaucoup trop classiq Pour travailler dans une agence de publicité, il vaudrait mieux un vêtement p excentrique ou au moins original, qui ne passera pas inaperçu ! – **4.** À mon avis une écharpe en laine alors qu'on est bientôt en été, ce n'est pas une bonne idée cadeau. Pourquoi ne lui achèterais-tu pas une cravate en soie ou encore une je paire de lunettes de soleil un peu branchée ? – **5.** À mon avis, cette veste ne va pas du tout, elle est beaucoup trop grande. De plus, elle fait vieux. Tu dev prendre cette veste en lin, elle est sympa, décontractée et elle a beaucoup de cla quand même !

■ Bilan 1, *p. 26-27*

1. 1. Baissez la tête. – **2.** Écartez les mains. – **3.** Gardez les épaules droites, bie face. – **4.** Tournez/baissez le dos. – **5.** Sortez le ventre. – **6.** Couchez-vous/le vous. – **7.** Bougez. – **8.** Relevez-vous.

2. 1. ça te grandirait – **2.** vous muscler – **3.** grossir – **4.** te relaxer/ te détendre

3. 1. l'ophtalmologue/l'oculiste – **2.** la pédiatre – **3.** l'infirmier – **4.** la dentis **5.** le pharmacien

4. 1. ausculte/examine un malade/reçoit un malade en consultation – **2** souffre des dents – **3.** subir une intervention chirurgicale/une opération du de **4.** rééduque ses jambes/voit un(e) kinésithérapeute pour ses jambes – **5.** m'a do une ordonnance/m'a prescrit des médicaments/un traitement – **6.** a la nausé envie de vomir

5. 1. piqûre, pansement, radio – **2.** sirop, pommade – **3.** analyses, traitement

6. 1. teindre les cheveux – **2.** épiler – **3.** te refaire une beauté – **4.** rase-toi – **5** shampoing

7. 1. Pouvez-vous me faire une manucure ? – **2.** Pourriez-vous me faire un mas un soin du visage ? – **3.** Pourriez-vous me couper et me friser les cheveux/me fair permanente ? – **4.** Tu pourrais me maquiller un peu/me mettre du fond de teint.

8. 1. discret – **2.** est très branchée/tendance – **3.** banales – **4.** ne te va pas du – **5.** n'a aucune allure/est ordinaire/quelconque

9. phrases possibles **1.** Je mets un grand châle en soie rouge avec une large cei de daim rouge assortie à mes chaussures et à mon sac à main. – **2.** Je chapeau gris clair, des gants en cuir et des chaussures à talon grises assor un petit sac. – **3.** Je prends un chapeau de coton orange, un grand sac en rose et des sandales roses ou oranges en cuir ou en plastique. Je n'oublie pa

es de soleil. – **4.** Je me mets des boucles d'oreilles en perle, un collier en or discret, un bracelet assorti et je noue un élégant foulard en soie de plusieurs urs ; je prends un grand sac en cuir naturel.

hapitre 5, p. 28-32

. 28 : François : sympathique, gai, dynamique, nerveux – Virginie : le, très calme, courageuse, timide, pas très naturelle, peut-être pas très e – Marie : ouverte, drôle, un peu extravagante, beaucoup trop à l'aise, de, égoïste – Olivier : beau, intelligent, pas assez sérieux, paresseux onique : agréable, ouverte, réservée, modeste, patiente, un peu bête – il a bon caractère, généreux, il a le sens de l'humour, honnête, adorable. isissent Paul.

. 29 : Phrases vraies : Julien est le petit fils d'une des deux femmes. La petite de Julien s'appelle Juliette. La grand-mère la trouve charmante. La voisine de trouve la jeune fille très jolie. Cette jeune fille est désagréable avec la voisine. eux femmes ne partagent pas la même opinion sur Juliette.

alités : sympathique, gai, dynamique, gentil, calme, courageux, naturel, franc, t, drôle, à l'aise, beau, intelligent, sérieux, agréable, réservé, modeste, patient,) bon caractère, généreux, (avoir) le sens de l'humour, honnête, adorable, uille, poli, cultivé, charmant – défauts : nerveux, timide, extravagant, bavard, e, paresseux, bête, agressif, désagréable

désinvolte – **2.** exubérante – **3.** drôle – **4.** calme

bête, stupide – **2.** avare, radin – **3.** ouverte, sympathique, adorable – viable, généreux – **5.** désinvolte

e – **2.** a – **3.** f – **4.** b – **5.** g – **6.** c – **7.** d – **8.** n – **9.** h – **10.** l – **11.** j – – **13.** m – **14.** i

bavarde – **2.** égoïste – **3.** ennuyeux – **4.** hypocrite – **5.** nerveux – **6.** gentille riste – **8.** sérieuse

uise est ennuyeuse et triste. C'est une fille timide et calme. Elle est très e et lente. Mais elle est franche et elle a toujours bon caractère. Elle est très euse....

hapitre 6, p. 33-37

. 33 : 1. *La promesse de l'aube* de Romain Gary. – **2.** L'amour, la honte, la – **3.** Elle ne va pas très bien. – **4.** Elle vit très seule, elle travaille, elle regarde vision le soir. – **5.** Son ami et elle se sont séparés récemment. – **6.** L'ennui / tesse. – **7.** Une promenade à vélo avec elle dimanche.

. 34 : 1. Ils préparent un examen.

	Avant	Après	Résultats
Elle	Elle est stressée, angoissée.	Elle est hyper contente.	Elle a réussi ses examens.
Lui	Il a confiance. Il est confiant, serein.	Il est furieux et très déçu.	Il a raté ses examens.

jectifs : émouvant, triste, passionnant, touchant, amoureux, heureux, furieux, désolé – noms : l'amour, la honte, la haine, le bonheur, la panique, la sérénité, r, l'angoisse, le stress

(l'amour) ; aimé, aimable, amoureux ; aimer – **3.** la déception ; (déçu, ant) ; décevoir – **4.** l'inquiétude ; inquiété, inquiétant ; (s'inquiéter) – nnui) ; ennuyé, ennuyeux ; s'ennuyer – **6.** le regret ; (regretté, regrettable) ; tter – **7.** la surprise ; surpris, surprenant ; (surprendre) – **8.** (la crainte) ; if ; craindre

f – **2.** i – **3.** h – **4.** e – **5.** d – **6.** c – **7.** a – **8.** g – **9.** b

. s'est vraiment fâché – **2.** regrette – **3.** hais – **4.** craint – dorent – **6.** est complètement fou – **7.** a tellement honte

cafard – **2.** nostalgie – **3.** colère – **4.** émotions – **5.** déception – **6.** remords angoisses

hapitre 7, p. 38-42

. 38 : 1. 1 obtention du baccalauréat – 2 études de comptabilité... – 3 jeune u pair... – 4 emploi de comptable... – **2.** Les diplômes et les certificats de

---

1. dialogue 1 : **1.** comptable – **2.** diplôme en comptabilité et en gestion – **3.** un an comme jeune fille au pair en Angleterre ; quatre ans au service comptabilité dans une entreprise d'import-export – **4.** anglais et chinois – **5.** comptable à mi-temps dans une entreprise franco-chinoise de textile dialogue 2 : Nathalie : **1.** serveuse dans un café – **2.** le mois d'août – **3.** du jeudi au lundi de 11h à 20h – **4.** 700 euros par mois – Pierre : **1.** réceptionniste de nuit dans un hôtel – **2.** même période – **3.** de 22 h à 8 h du matin, cinq soirs par semaine – **4.** 1 100 euros par mois

2. 1. une candidature – **2.** un CV – **3.** une agence Pôle emploi – **4.** un stage – **5.** un licenciement

3. 1. e – **2.** f – **3.** d – **4.** a – **5.** h – **6.** g – **7.** b – **8.** c

4. 1. e – **2.** c – **3.** h – **4.** g – **5.** a – **6.** i – **7.** d – **8.** f – **9.** b

5. 1. fiche de paye, salaire, charges sociales – **2.** stage, expérience – **3.** assurance maladie, assurance chômage – **4.** signer, conditions – **5.** gère, recrute, licencie

Chapitre 8, p. 43-47

CO p. 43 : 1. g – **2.** d – **3.** b – **4.** a – **5.** c – **6.** e – **7.** f

CO p. 44 : Phrases vraies : Mathieu a le numéro de Paul mais il n'a plus de forfait. L'autre garçon appelle Paul mais il ne répond pas. Marlène va appeler Paul et elle sera contente de lui parler.

1. raccrocher le combiné/arrêter la communication – décrocher/prendre la communication – patienter/rester en ligne – rappeler / téléphoner plus tard – laisser un message /écrire un SMS – composer un numéro/taper sur les touches du téléphone

2. 1. f – **2.** h – **3.** g – **4.** a – **5.** d – **6.** e – **7.** c – **8.** b

3. 1. répondre – **2.** répondeur – **3.** prendre – **4.** numéro – **5.** passe – **6.** laisser

4. 1. vous pouvez patienter/ne quittez pas – **2.** vous pouvez rappeler ultérieurement/ vous pouvez laisser un message vocal – **3.** je vous passe la ligne – **4.** vous êtes en liaison avec sa messagerie – **5.** c'est de la part de qui ? qui est à l'appareil ?

5. 1. c – **2.** e – **3.** a – **4.** g – **5.** b – **6.** h – **7.** f – **8.** d

■ Bilan 2, p. 48-49

1. 1. timide – **2.** menteur – **3.** doux – **4.** ennuyeux – **5.** malin – **6.** pessimiste

2. 1. ennuyeux ; triste et très fermé/introverti mais il est courageux – **2.** désinvolte ; bête/stupide, prétentieuse mais elle est très calme et franche – **3.** agréable ; il a bon caractère mais il est méchant et avare. – **4.** exubérante ; dure mais elle est sérieuse et polie/raffinée.

3. 1. amoureux – **2.** enthousiaste – **3.** a honte de... – **4.** s'est fâché – **5.** elle a paniqué – **6.** a été déçue

4. 1. passionnant, passionné – **2.** surpris, déçue – **3.** effrayé – **4.** décevante, ennuyeux – **5.** effrayant – **6.** ennuyé

5. 1. à temps partiel – **2.** congés – **3.** licenciements, charges sociales – **4.** stage, poste, contrat – **5.** cotisations, salaire

6. 1. de la part de qui ? ; quittez – **2.** occupée/en réunion ; donner/ laisser vos coordonnées

7. 1. patienter, rappeler – **2.** recharger, joindre – **3.** pris, envoyer – **4.** raccroché

■ Chapitre 9, p. 50-54

CO p. 50 : 1. Elle est dans un magasin d'ordinateurs. – **2.** Elle veut acheter un ordinateur pour envoyer, recevoir des courriels et brancher une webcam pour communiquer avec sa fille par Internet – **3.** Le Mac est plus cher mais aussi plus facile à utiliser – **4.** Il parle de l'écran, du clavier, des prises USB, de la souris, de la webcam. – **5.** Pour se connecter il faut cliquer sur l'icône. – **6.** Son neveu pout l'aider. – **7.** L'appareil n'est pas connecté. – **8.** Il faut sauvegarder régulièrement les textes. – **9.** Il coûte 1200 euros. – 10 La cliente repassera demain avec son neveu.

CO p. 51 : Phrases vraies : Une tablette est plus légère qu'un ordinateur. On ne peut pas brancher une imprimante sur une tablette. On ne peut pas lire un CD sur une tablette. La tablette est plutôt adaptée aux loisirs. L'ordinateur permet de voir des documents stockés sur une clé USB.

1. noms : un ordinateur portable, Internet, un courriel, une webcam, une fonction, un PC, un Mac, un clavier, un écran, une prise USB, une souris, une prise, une batterie, une autonomie, une connexion, un abonnement, un fournisseur d'accès, une touche, une icône, une page, une barre d'outils, un traitement de texte, un navigateur, adresse e-mail, un mot de passe, un message

verbes : envoyer, recevoir, (se) brancher, recharger, surfer, allumer, appuyer, se connecter, cliquer, (s')ouvrir, sauvegarder, placer, écrire, composer, taper, quitter, éteindre

2. 1. une, un, une, un, une ; intrus : une touche – **2.** une, un, une, un, un ; intrus : une enceinte – **3.** un, un, une, un, un ; intrus : un logiciel – **4.** surfer – **5.** scanner

3. 1. g – **2.** f – **3.** a – **4.** h – **5.** e – **6.** b – **7.** d – **8.** c

4. 1. e – **2.** g – **3.** h – **4.** f – **5.** c – **6.** b – **7.** d – **8.** a

5. 1. sauvegarder – **2.** graver – **3.** imprimer – **4.** cliquer – **5.** scanner – **6.** vous connecter

6. 1. cybercafé – **2.** électronique – **3.** internautes – **4.** toile, connexion – **5.** clé USB

■ Chapitre 10, *p. 55-59*

CO **p. 55 : 1.** train ou en avion – **2.** plus reposant – **3.** plus cher – **4.** d'inviter ses amis à venir – **5.** économique

CO **p. 56 :**

Destination	Barcelone
Date de départ	Vendredi 27 avril
Date de retour	Mardi 1er mai
Nombre de personnes	deux
Lieu de départ	Montpellier
Nom de l'hôtel	Hôtel Paloma
Situation de l'hôtel	Dans le centre-ville
Catégorie de l'hôtel	Trois étoiles
Nombre de nuits	4 nuits
Prix total par personne	450 euros

1. 1. en voiture : la route, les embouteillages – **2.** en train : prendre le train, partir en train, changer, attendre la correspondance, un TGV direct – **3.** en avion : prendre l'avion, plus cher, plus rapide, payer plein tarif, une place, décoller, un vol aller-retour, le transfert de l'aéroport

2. 11. M, F, M, F, M, F – **2.** M, F, M, F, F ; intrus : une hôtesse – **3.** F, M, F, F, F, M ; intrus : un quai – **4.** M, F, F, M, M, F, M; intrus : une agence de voyages – **5.** F, M, M, M, F, M ; intrus : un billet – **6.** intrus : passagerr

3. 2. une réservation – **3.** enregistrer – **4.** arriver – **5.** un départ – **6.** décoller – **7.** contrôler – **8.** un arrêt – **9.** un changement – **10.** embarquer – **11.** un vol – **12.** atterrir

4. 1. h – **2.** e – **3.** i – **4.** a – **5.** b – **6.** d – **7.** c – **8.** g – **9.**

5. 1. douane, passeport – **2.** composter – **3.** domestique – **4.** voiture bar – **5.** couchettes – **6.** classe affaires – **7.** plein tariff

■ Chapitre 11, *p. 60-64*

CO p. 60 :

	Destination	Hébergement	Activités
Paul et Madeleine	La Bretagne	Location d'une maison	La mère : se reposer, lire, dormir, peindre Le père : du bricolage avec un ami, tennis les enfants : planche à voile
Jacques et Catherine	Le Québec	Location d'un camping-car Chez des amis	Visites des villes, des parcs nationaux, randonnée
Delphine (fille de Catherine et Jacques)	Barcelone	Chez des amis	
Mathilde (fille de Catherine et Jacques)	Grèce, les îles	camping	

CO **p. 61 : 1.** En Grèce – **2.** En bus et en bateau – **3.** Chez l'habitant – **4.** Pour le

soleil, la mer, les petits villages, les restos sympas et les gens adorables.

1. 1. transports : louer un camping-car, l'avion, le bus, le bateau, un alle – **2.** destinations : la Bretagne, le Québec, les États-Unis, Barcelone, la G îles grecques, Athènes – **3.** hébergements : louer une maison, louer un ca car, s'arrêter chez des amis, faire du camping, hôtel, dormir chez l'hab – **4.** activités : faire de la planche à voile, voyager, un voyage organisé, vis villes, les parcs nationaux, rendre visite à/partir chez des amis, se repos dormir, prendre son temps, peindre, refaire une maison, bricoler, jouer au faire de la randonnée, aller à la mer, au restaurant

2. 1. un village – **2.** en ville – **3.** un stage – **4.** travailler

3. 1. Nous faisons du sport. – **2.** Nous enrichissons notre culture/ no cultivons. – **3.** Nous faisons du tourisme. – **4.** Il étudie l'art, il fait de la pein la photo, de la sculpture… – **5.** Ils découvrent la cuisine de la région.

4. 1. j – **2.** a – **3.** b – **4.** i – **5.** h – **6.** g – **7.** f – **8.** c – **9.** e – **10.** d

5. 1. club de vacances, discothèque – **2.** étranger, circuit – **3.** voyage org

4. bain de soleil – **5.** camping – **6.** croisière

■ Chapitre 12, *p. 65-69*

CO **p. 65 1.** Il fait de plus en plus chaud sur la terre, le niveau ses océans mers monte et un jour les régions du bord de mer seront sous l'eau. – **2.** L vont lutter contre la pollution. – **3.** On ne doit pas gaspiller l'eau. – **4.** Elle p d'aller habiter à la montagne.

CO **p. 66 :** Le Monténégro a des frontières communes avec la Serbie et l'Alba état n'est pas très loin de la Grèce. Les paysages sont variés avec des montag lacs et la mer avec des îles. Pour y aller de France il faut traverser le nord de puis longer la côte croate ou bien prendre un bateau.

1. la planète, la Terre, un désert, le pôle, l'océan, la mer, une région, le l la mer, un pays, un continent, l'Afrique, l'Europe, la France, une monta Monténégro, un État, la Serbie, la Grèce, l'Albanie, une frontière, le nord, une île, l'Italie, une carte

2. 1. F, M, M, M, M ; intrus : un fuseau horaire – **2.** F, F, M, F, M, F ; intru plaine – **3.** M, F, M, F, M, F, M ; intrus : une colline

3. 1. douane – **2.** montagne, lacs – **3.** désert – **4.** fleuve, vallée – **5.** île

4. 1. f – **2.** g – **3.** a – **4.** d – **5.** c – **6.** b – **7.** e

5. 1. se réchauffe – **2.** gèle, dérivent – **3.** fond – **4.** se réveille – **5.** érodent

6. 1. la mer : d, e, f, h – **2.** l'eau douce : a, j, m, n – **3.** le relief : b, c, d, g, i,

■ Chapitre 13, *p. 70-74*

CO **p. 70 : 1.** Cet après-midi – **2.** Au torrent après la cascade – 3 De gros p – **4.** Au pont – **5.** Un chapeau et à boire

CO **p. 71 : 1.** Matériel emporté: les maillots de bain, les seaux, les pelles, le des enfants, la crème solaire, un magazine. – **2.** La mère : lire, courir sur la Le père et les enfants : sauter dans les vagues, ramasser des coquillages, c des crabes, faire un château de sable, courir sur la plage – Les enfants : g **3.** Parce que c'est marée basse. Non, il y a des grosses vagues et ils n'ont pas pu **1.** lieux : le lac, le torrent, la cascade, le pont, la plage, un rocher – verbes : aller à l faire un château de sable, se baigner, chercher des crabes, ramasser des coquilla un magazine, sauter dans les vagues, nager, courir

2. 1. une source, un ruisseau, un fleuve, une mer, un océan – **2.** un bass mare, un étang, un lac – **3.** un torrent, un canal, une rivière, un fleuve, un o

3. 1. a, b, h, i, l – **2.** a, b, c, d, e, f, g, i, j, k, l

4. 1. f – **2.** a – **3.** i – **4.** b – **5.** c – **6.** g – **7.** h – **8.** e – **9.** d

5. 1. un cargo – **2.** un bateau-mouche – **3.** une péniche – **4.** un phare – matelot – **6.** un officier de marine

■ Bilan 3, *p. 75-76*

1. 1. cybercafé – **2.** navigateur – **3.** traitement de texte, mémoire – **4.** abonn – **5.** toile – **6.** informaticien

2. 1. c – **2.** e – **3.** a – **4.** f – **5.** d – **6.** b

3. 1. passeport – **2.** guichet, hôtesse, bagages, siège, carte d'embarquer **3.** départ, arrivée, gare – **4.** correspondance, couchette – **5.** décollage, atter – **6.** embouteillages, péages

4. 1. chambres d'hôte – **2.** colonie, club de vacances, circuit – **3.** estivants, loc camping – **4.** croisière, tourisme

ases possibles : **1.** Ils pourraient partir au Maroc dans un club de vacances cinq
au bord de la mer, près de Rabat. Des vols directs assurent le trajet Marseille-
Sur place, ils pourront nager, dans la mer ou à la piscine, prendre des bains de
faire du ski nautique et de la voile. – **2.** La famille Variche pourrait louer une
n pour quinze jours en Bretagne. Ils peuvent y aller en voiture. Sur place, ils
nt louer des vélos pour se promener. On peut aussi faire de jolies promenades
t. Un centre équestre propose des promenades en poney pour les enfants
que les parents pourront monter à cheval. – **3.** Des compagnies de charters
ent des vols bon marché pour la Turquie. – **4.** Ils peuvent emporter leur tente
ire du camping et partir en randonnée dans la montagne ou sur la côte. Pour
r, ils peuvent prendre le bus ou le train.

rontières – **2.** désert – **3.** pays – **4.** pôle – **5.** île – **6.** volcans – **7.** colline

hapitre 14, *p. 77-81*

77 : **1.** Au coucher du soleil – **2.** Le passage de la comète – **3.** Ils ont oublié
nelles. – **4.** Plein d'étoiles et une étoile filante – 5 C'est la première étoile
paraît la nuit. – **6.** Ils rentrent à une heure du matin parce qu'ils ont froid et
approche. – **7.** Non.

78 :

	Éric	Delphine
ieu préféré	La montagne	Au bord de la mer ou sur une île
Activités	Longues marches sur les sentiers, le long des torrents, se baigner dans les lacs	Aller à la plage, se baigner,
e proposition	La Corse	Un petit village à la campagne, dans l'arrière pays niçois

iel : le soleil se couche, les nuages arrivent, le vent se lève, la comète, une
une étoile filante, la Lune, Saturne, Jupiter, une planète, un observatoire, un
l'orage approche

e : le bord de la mer, une crique, une île, la plage, faire une marche en
gne, un sentier, les torrents, se baigner dans les lacs, un petit village à la
gne, l'arrière-pays, une colline, une rivière

, F, F, M, F, M, M ; intrus : cyclone – **2.** F, F, F, M, F, F, F ; intrus : plaine – **3.** F,
, F, M ; intrus : pré – **4.** F, M, M, F, M, F ; intrus : étoile

n – **2.** l – **3.** a – **4.** k – **5.** g – **6.** f – **7.** d – **8.** j – **9.** c – **10.** h – **11.** e –
– **13.** i

entiers, torrents – **2.** champs, prés – **3.** côte, criques, sable – **4.** observatoire,
pe, lune – **5.** désert, dunes – **6.** volcan – **7.** plaines, collines

hapitre 15, *p. 82-86*

82 : **1.**

	Louis	Marine	Raison du refus de la mère
nimal	Un chien Un hamster	Un chat Un poisson, une tortue	Il n'y a personne à la maison dans la journée et ils habitent dans un appartement
antage	Le hamster est petit et vit dans une cage	Ça mange ça joue et ça dort	
nvénients	Il faut sortir un chien plusieurs fois par jour	Le faire garder pendant les vacances	

ont chez leurs grands-parents à la campagne – **3.** Des lapins, des poules et à
e des cochons, des vaches et un cheval.

83 : Race : Cocker américain   Taille adulte : pas très grand
articuliers : il faut le brosser régulièrement.
ristiques : tranquille, il aime beaucoup la compagnie.

Âge : 3 mois   Prix: 550 euros   État de santé : excellent
1. les animaux : un chien, un chat, un hamster, un oiseau, un poisson, une tortue,
une souris, un lapin, une poule, un cochon, un cheval, une vache, un chiot – les
soins : sortir (un chien), s'occuper d'un animal, jouer avec lui, le brosser, le faire
toiletter
2. 1. une, un, un, une, un, une, un ; intrus : une oie – **2.** une, une, un, un, un,
un, une, un ; intrus : un singe – **3.** une, un, un, un, un ; intrus : un veau – **4.** une,
un, un, un, une, un, un ; intrus : un requin
3. 1. h – **2.** e – **3.** a – **4.** c – **5.** i – **6.** g – **7.** f – **8.** d – **9.** b
4. 1. grimper, sauter – **2.** volent, pondent – **3.** couve – **4.** se reproduisent –
5. guette, rampe
5. 1. meugle – **2.** hennit – **3.** miaule – **4.** aboie – **5.** rugit – **6.** bêle
6. 1. h – **2.** a – **3.** g – **4.** f – **5.** e – **6.** c – **7.** b – **8.** d

■ Chapitre 16, *p. 87-91*

CO p. 87 : 1 sentir les fleurs – **2.** Non, ce n'est pas amusant. – **3.** le potager : les
plants de tomate, les carottes, les citrouilles, les haricots – le verger : le pommier, le
poirier, le cerisier – les serres : les cactus, le bananier, le cocotier – **4.** Elle emmènera
sa petite fille au zoo.
CO p. 88 : **1.** une haie d'arbustes – **2.** s'isoler – **3.** un cerisier – **4.** des fleurs
1. noms : un jardin, une pelouse, une fleur, un arbre (fruitier), un sapin, un verger,
un pommier, un cerisier, un pêcher, un poirier, un fruit, une pomme, une cerise, une
pêche, une poire, un (jardin) potager, une carotte, un haricot, un plant de tomate,
une salade, une feuille, une citrouille, une plante, une serre, un cactus, une épine,
un bananier, un cocotier, un arbuste, une haie, un rosier, un pied de pivoine, un
oignon de tulipe, une graine de giroflée – verbes : couper, sentir, tomber, pousser,
fleurir, planter, cueillir
2. 1. M, M, F, F, F, F, M ; intrus : racine – **2.** M, M, F, M, F, F, F ; intrus : haie – **3.** M,
M, M, F, M, M ; intrus : potager – **4.** F, M, M, M, M, M/F ; intrus : verger – **5.** M, M,
M, M, F, F, F ; intrus : pré – **6.** M, M, M, M, F, M ; intrus : poirier
3. 1. une graine, un oignon, une fleur, une plante – **2.** une graine, une feuille, une
branche, un arbre – **3.** un arbuste, un buisson, un bosquet, un bois, une forêt –
4. un bourgeon, une feuille, un fruit, une branche
4. 1. f – **2.** g – **3.** i – **4.** a – **5.** e – **6.** b – **7.** c – **8.** h – **9.** d
5. 1. se faner – **2.** moissonner – **3.** cultiver – **4.** fleurir – **5.** semer – **6.** arroser –
7. vendanger – **8.** planter – **9.** jardiner – **10.** récolteras

■ Chapitre 17, *p. 92-96*

CO p. 96 : Phrases vraies : 2, 3, 6, 8, 9, 10 – Faux : 1, 4, 5, 11 – On ne sait pas : 7
1. le toucher : toucher, doux, léger, chaud, souple – le goût : déguster, goûter,
délicieux, moelleux, fruité, manger, se marier, essayer, succulent, trouver, pas
mauvais – l'odorat : sentir, une odeur iodée, acide – la vue : noir, gris, plus ou
moins clair, ambré, voir, regarder, beau – l'ouïe : entendre
2. 1. amer – **2.** net – **3.** flou – **4.** rêche – **5.** assourdissant
3. 1. f – **2.** c – **3.** g – **4.** e – **5.** d – **6.** b – **7.** a
4. 1. sens – **2.** touche – **3.** regarder, voir – **4.** ai dégusté, goûter – **5.** ai rien
entendu, écouter – **6.** apercevoir – **7.** embaument
5. 1. assourdissante – **2.** capiteux, frais – **3.** sucrées – **4.** doux –
5. épaisse

■ Bilan n° 4, *p. 97-98*

1. 1. ouragan – **2.** inondations – **3.** raz de marée – **4.** tremblement de terre
2. 1. étoilée – **2.** sablonneuse – **3.** ensoleillée – **4.** rocheuse
3. 1. c – **2.** a – **3.** f – **4.** d – **5.** e – **6.** b
4. 1. cage – **2.** race, bâtards – **3.** pedigree – **4.** vétérinaire, vaccins – **5.** gouttière
5. 1. g – **2.** d – **3.** a – **4.** h – **5.** f – **6.** c – **7.** b – **8.** e
6. 1. elle est fleuriste – **2.** c'est un maraîcher – **3.** elle est horticultrice – **4.** il est
agriculteur – **5.** il est vigneron – **6.** c'est un viticulteur
7. 1. nette – **2.** lisse – **3.** claires – **4.** léger – **5.** illisible – **6.** rêche – **7.** savoureux –
8. infect – **9.** dur – **10.** grossière
8. 1. empeste – **2.** caresser – **3.** embaument – **4.** aperçoit – **5.** sentais
9. 1. g – **2.** d – **3.** a – **4.** i – **5.** b – **6.** h – **7.** c

■ Chapitre 18, *p. 99-85*

CO p. 99 : 1. mou, élastique, rose, jaune – **2.** liquide, aigre – **3.** collant, sucré, lourd – **4.** ovale, gros, hérissé, au parfum fort

CO p. 100 : Provenance: Brésil – Utilité: instrument de musique – Matière: en fer – Forme: deux parties allongées, coniques – Poids: pas lourd – Taille : pas trop encombrant – Consistance : dur

1. la consistance : mou, élastique, liquide, collant, une crème, une chair fine, dur – le goût : déguster, gastronomique, trouver, un goût bizarre, sucré, salé, curieux, mordre, aigre, écoeurant, fort, infect, parfumé – la forme : une boule, ovale, rectangulaire, conique, allongé, étroit, mince, recourbé, fin – la dimension : petit, gros, encombrant – le poids : lourd, léger

2. 1. subtil – **2.** long – **3.** lourd – **4.** léger

3. 1. mesures – **2.** largeur – **3.** poids – **4.** taille – **5.** surface

4. 1. l – **2.** k – **3.** i – **4.** a – **5.** h – **6.** c – **7.** e – **8.** f – **9.** g – **10.** b – **11.** d – **12.** j

5. 1. amère – **2.** écoeurante – **3.** minuscules – **4.** épais – **5.** ovales

6. 1. sens – **2.** pèse – **3.** mesure – **4.** soupèse – **5.** déguste – **6.** tâter – 7 alléger

■ Chapitre 19, *p. 104-108*

CO p. 104 : Ouest France : le père – Magazine de photos : le fils – Elle : La mère – **2.** Libération – **3.** Spécial minceur

CO p. 105 : Phrases vraies : La femme veut regarder une émission de cuisine à la télé. Il va regarder un match de football dans le salon. Il n'a pas pu lire les infos en ligne. La femme veut écouter la radio pour connaître l'actualité.

1. noms : un présentoir, un quotidien, un journal régional, un magazine (féminin), une revue, un supplément, la télé/télévision, un programme, un film, une comédie dramatique, une critique, un match, la radio, les infos, la une – verbes : acheter, regarder, passer (un film), retransmettre (en direct), mettre (la radio), écouter, lire

2. 1. une émission – **2.** une chaîne – **3.** le kiosque – **4.** un hebdomadaire – **5.** une présentatrice

3. 1. a, d, e, f, g, j – **2.** c, d, h, i, k, l – **3.** b, c, d, h, l

4. 1. parabole, chaînes – **2.** éditorial – **3.** station, émission – **4.** programmes – **5.** série – **6.** les réseaux sociaux

5. 1. politique – **2.** société – **3.** météo – **4.** faits divers – **5.** économie

6. 1. capter, me connecte – **2.** diffuse, retransmet – **3.** nous abonnons, regarde, suivent, écoute

■ Chapitre 20, *p. 109-113*

CO p. 109 : 1. Une grève des employés de la SNCF et de la RATP. – **2.** Parce qu'on envisage de reculer l'âge de la retraite. – **3.** Ils sont retraités depuis un an. – **4.** C'est le jour où leurs enfants doivent arriver en train et leur voyage pourrait être annulé. – **5.** Non. Elle a voté pour le candidat écologiste et lui pour le président actuel.

CO p. 110 : 1. Il a un examen d'économie à préparer. – **2.** Elle concerne le travail : la précarité de l'emploi, la montée du chômage et la réduction des acquis sociaux. – **3.** Distribuer des tracts, préparer une banderole – **4.** Oui

1. la politique : le ministre des Transports, un député, siéger, discuter une loi (une loi passe), le gouvernement, un parti, voter, les élections, le président, un discours, un candidat (écologiste) – les conflits sociaux : un syndicat, reculer l'âge de la retraite, faire grève, (faire) une manif/manifestation, la précarité de l'emploi, la montée du chômage, la réduction des acquis sociaux, une banderole, un tract

2. 1. un électeur – **2.** siéger – **3.** un syndicat – **4.** un scrutin – **5.** un député

3. 1. j – **2.** g – **3.** c – **4.** b – **5.** h – **6.** i – **7.** e – **8.** a – **9.** d – **10.** f

4. 1. i – **2.** h – **3.** g – **4.** f – **5.** j – **6.** d – **7.** e – **8.** a – **9.** c – **10.** b

5. 1. syndicats, grève – **2.** manifestation, revendications – **3.** manifestants, banderoles, tracts – **4.** pétition

■ Chapitre 21, *p. 114-118*

CO p. 114 :

Hélène	Manon
le Festival d'Avignon – des spectacles de mime – des pièces de théâtre – des spectacles de rue – pas encore d'hébergement	un concert de jazz – des expositions de photographies à Arles – un logement chez un ami

CO p. 115 : Phrases vraies : Le frère d'Aurore est peintre. Dans l'associat jeunes artistes contemporains il y a des peintres, des sculpteurs et des artistes Aurore va peut-être aider son frère à présenter ses peintures.

1. les artistes : un mime, un photographe, un(e) chanteur(-euse), un peint sculpteur, un artiste vidéo, un dessinateur – les événements artistiques : un fe une pièce de théâtre, un spectacle de rue, du mime, un concert, une créati la musique, un spectacle, une biennale, une exposition – les lieux artistiqu théâtre, une galerie, un musée, un centre culturel, un espace (culturel)

2. 1. une ballerine – **2.** un rôle – **3.** sculpter – **4.** une chorégraphie

3. 1. j – **2.** e – **3.** k – **4.** b – **5.** a – **6.** d – **7.** h – **8.** c – **9.** g – **10.** f – **11.** i

4. 1. acteurs, décors – **2.** scène – **3.** rats – **4.** toiles – **5.** figurants – **6.** exposi 7 opéra – **8.** mime – **9.** festival – **10.** comédie

5. 1. une ballerine – **2.** un rat – **3.** une étoile – **4.** un chef – **5.** un acteur

■ Bilan n° 5, *p. 119-120*

1. 1. rectangulaire – **2.** cylindrique – **3.** sphérique – **4.** conique – **5.** o **6.** ronde

2. 1. sucrée – **2.** sèche – **3.** durs/secs – **4.** fade – **5.** insipide – **6.** tendre

3. 1. allèges – **2.** élargissiez – **3.** alourdit – **4.** soupeser – **5.** racourcir – **6.** m

4. 1. elle est rédactrice en chef – **2.** c'est un caricaturiste/un humoriste – est journaliste – **4.** c'est un présentateur/animateur – **5.** c'est une marcha journaux.

5. 1. la une – **2.** l'éditorial – **3.** un reportage – **4.** une caricature – **5.** une **6.** une station de radio

6. 1. te syndiquer – **2.** siègeront – **3.** seront dépouillés – **4.** a été promulg **5.** mènent – **6.** élirons – **7.** revendiquent

7. 1. mimaient – **2.** expose – **3.** projette – **4.** être parti en tournée – **5.** a m **6.** a été orchestrée – **7.** interprète

■ Chapitre 22, *p. 121-125*

CO p. 121 : Phrases vraies : Le cours du dollar américain a monté. Il n'y a frais de change à payer. Le client préfère des petites coupures.

CO p. 122 : 1. À la fin du mois – **2.** Il a acheté des tickets de métro, deux pla cinéma, un stylo spécial – **3.** 10 euros – **4.** Non, elle lui dit « essaie d'être plus économe ».

Projet	Achat d'une résidence secondair
Taux de l'emprunt	3,5%
Montant de l'achat	90 000 euros
Avoir disponible	40 000 euros
Somme à emprunter	50 000 euros

1. 1. noms : un guichet, un bureau de change, un dollar américain, le co euro, un chèque de voyage, une commission, une banque, une petite co un billet, l'argent de poche, un panier percé, un emprunt, l'argent – **2.** v acheter, monter, changer, dépenser, emprunter, coûter, disposer

2. 1. fortuné – **2.** dépensier – **3.** placer – **4.** un change

3. 1. a – **2.** d – **3.** b – **4.** c – **5.** h – **6.** g – **7.** e – **8.** f

4. 1. g – **2.** h – **3.** f – **4.** a – **5.** e – **6.** i – **7.** c – **8.** b – **9.** d

5. 1. emprunter, remboursons – **2.** viré, économiser – **3.** alimente, r **4.** remplissez, signer

6. 1. f – **2.** e – **3.** a – **4.** c – **5.** b – **6.** d

■ Chapitre 23, *p. 126-130*

CO p. 126 : 1. ce matin dans le bus. – **2.** marron, en cuir, avec deux extérieures. – **3.** Dans son sac il n'y a pas de magazine, de plan de la ville, d carte, de foulard. – **4.** Elle doit faire une déclaration de perte. – **5** . Non

CO p. 127 :

La poche de veste	le portefeuille, le chéquier, les clés
la sacoche	l'ordinateur portable, l'agenda

La bonne nouvelle est qu'on a retrouvé le sac de la femme.

1. 1. aux femmes : un sac à main, une trousse de maquillage, un miroir, de

2. à tout le monde : un portefeuille, des clés, un permis de conduire, une carte d'identité, une carte bancaire, un porte-monnaie, un carnet de chèques, des photos, n téléphone portable, un agenda, un stylo, un étui à lunettes, un abonnement de ransport, un parapluie, un briquet, un paquet de cigarettes, un livre, un ordinateur ortable

1. M, M, F, M ; intrus : carte de visite – **2.** M, M, M, M, M ; intrus : stylo – **3.** F, F, , M ; intrus : carte bancaire – **4.** M, F, M, M ; intrus : agenda – **5.** M, M, F, M, M ; trus : portable

1. trousseau – **2.** étui – **3.** agenda – **4.** parapluie – **5.** porte-monnaie – répertoire

1. a, c, e, l, p – **2.** b, d, f, g, h, j, k, m, n, o, p – **3.** c, d, e, f, j, o, p – **4.** b, d, f, i, j, m, n, o

1. i – **2.** g – **3.** e – **4.** c – **5.** a – **6.** d – **7.** b – **8.** f

1. ai oublié – **2.** présenter – **3.** rallumer – **4.** retrouver – **5.** enlève – **6.** offrir – me remaquiller

Chapitre 24, p. 131-135

p. 131 : 1. Phrases vraies : Valérie vient d'emménager. Marie lui conseille ller chez des Antiquaires.

Marie	Valérie
une console, un tapis, des statuettes, une table basse, une tenture murale	des rideaux, une lampe, des coussins

p. 132 : 1. Parce qu'il pleuvait. – **2.** Le 1er collègue a changé un robinet, le ne collègue a installé une lampe et fait de la peinture. – **3.** Ils vont s'associer pour rochains travaux de bricolage.

er dialogue : **1.** une petite table basse, une console – **2.** un tapis – **3.** des rideaux, miroir, une peinture, une tenture – **4.** une lampe, un vase, un bougeoir, un ssin, un bibelot, une statuette, une plante – 2e dialogue : **1.** réparer, repeindre, aller, changer, décaper, poncer – **2.** un robinet, un placard, un radiateur, une pe, le papier peint, une porte, la moquette

M, M, F, F, M ; intrus : tapis – **2.** M, F, M, M, M, F ; intrus : lustre – **3.** M, F, F, ; intrus : applique – **5.** M, F, M, F, F ; intrus : lampadaire

portemanteau – **2.** vase – **3.** rideaux – **4.** miroir – **5.** statuette – **6.** lustres

cirer, décaper – **2.** coller, poser – **3.** accrocher – **4.** fixer – **5.** décorer, tendre réparer

Chapitre 25, p. 136-140

136 : 1.

L'homme	une banquette à l'arrière pour le chien, compacte, esthétique, confortable, avec de la reprise et pour un prix raisonnable
La femme	un cabriolet décapotable

Bravo est adaptée à la ville (encombrement réduit), avec un coffre spacieux, enue de route exceptionnelle, économique (équipée d'un système hybride), un habitacle bien agencé. – **3.** Non, il n'y a pas de toit ouvrant ni de GPS et t elle préfère le vélo dans Paris qui ne pollue pas et permet de rester en forme. veut une voiture pour le chien et le futur enfant.

137 : Phrases vraies : 2, 4, 5, 6 – Fausses : 1 – On ne sait pas : **3.**

r dialogue : une banquette, le coffre, un toit ouvrant, un GPS – 2e dialogue : s de la conduite : traverser, prendre/tourner à droite, continuer tout droit, rester à droite, ralentir, chercher une place, se garer – signalisation : un sens t, une limitation de vitesse, les clous

un compteur – **2.** la roue – **3.** allumer – **4.** un rétroviseur – iéton – **6.** chère

– **2.** e – **3.** h – **4.** a – **5.** d – **6.** c – **7.** f – **8.** b

– **2.** a, e – **3.** a, e – **4.** f – **5.** c – **6.** d – **7.** b

mitée, doubler – **2.** marche arrière – **3.** priorité, s'arrêter – **4.** sens interdit, ique – **5.** se garer – **6.** ralentis – **7.** suivre

■ Chapitre 26 p. 141-154

CO p. 141 : Phrases vraies : Elle est membre d'une association qui gère un jardin collectif de quartier. Les jardiniers volontaires viennent dans ce jardin quand ils veulent.

CO p. 142 : 1. Léa – **2.** Elle lui reproche de prendre un bain le soir. – **3.** Il propose qu'elle prenne d'abord sa douche et il gardera l'eau pour prendre un petit bain.

1. Dialogue 1 : pas de pesticides pas d'engrais

Dialogue 2 :

La poubelle normale	Le sac	La poubelle blanche	Au supermarché
Les ordures ménagères	Le verre	Le plastique, le carton, le métal, le papier	Les piles, les ampoules

2. 1. le compost – **2.** le pétrole – **3.** chimique – **4.** le gaspillage

3. 1. organiques – **2.** biologique – **3.** solaires – **4.** recyclés – **5.** climatiques

4. 2.e – **3.**a – **4.**b – **5.**i – **6.**d – **7.**f – **8.**c – **9.**h

5. 1. pollues – **2.** économiseras – **3.** préserver – **4.** trie – **5.** fertiliser – **6.** isolez – **7.** recycler

■ Bilan n° 6, p. 146-147

1. 1. changer – **2.** sera débité – **3.** gaspiller – **4.** dépenses – **5.** règle – **6.** ont épargné

2. 1. une carte d'identité, un permis de conduire, une carte bancaire, des billets de banque, des photos, des cartes de visite – **2.** un bâton de rouge à lèvres, un miroir de poche, un poudrier, du mascara – **3.** des clés, des titres de transport, des pièces de monnaie, un stylo, un portable – **4.** une trousse de maquillage, un portefeuille, un porte-monnaie, un livre, un étui à lunettes, un téléphone portable… – **5.** un livre, des vêtements, des chaussures, une trousse de toilette…

3. 1. donner l'heure/du feu – **2.** votre cigarette/votre portable – **3.** rallumer ton portable – **4.** votre chèque – **5.** votre passeport/vos papiers d'identité – **6.** ton parapluie – **7.** tes lunettes de soleil

4. 1. un guéridon – **2.** une tenture – **3.** une console – **4.** un lampadaire – **5.** une coiffeuse – **6.** une applique – **7.** un paillasson

5. 1. f – **2.** c – **3.** e – **4.** a – **5.** b – **6.** d

6. 1. pare-brise – **2.** pare-chocs – **3.** compteur – **4.** rétroviseur – **5.** phares – **6.** clignotant – **7.** essuie-glaces

7. 1. un motard – **2.** un livreur/chauffeur-livreur – **3.** un cycliste – **4.** un chauffeur – **5.** un automobiliste – **6.** un camionneur/un chauffeur routier

8. 1. ralentis/freine/arrête-toi – **2.** mets ton clignotant et regarde en face, puis dans le rétroviseur – **3.** va doucement, regarde dans le rétroviseur – **4.** ralentis, va doucement

9. 2. économiser – **3.** réduisent – **4.** isolent – **5.** recyclent – **6.** gaspillent – **7.** trier – **8.** polluer – **9.** préserver

N° de projet : 10230486 - Dépôt légal : janvier 2017
Imprimé en France par I.M.E. by Estimprim 25110 Autechaux